すぐそこにある

サイバーセキュリティーの罠

テレワーク、スマホ、メールを狙う
最新トラブルとその裏側

勝村幸博

日経BP

はじめに

企業ネットワークへの不正侵入、ランサムウエアをはじめとするコンピューターウイルス（マルウエア）感染、フィッシング詐欺のようなネット詐欺被害――。サイバー攻撃による被害が毎日のように報告されています。攻撃者の手は休まることがありません。というのも、サイバー攻撃はビジネスになっているからです。攻撃者は日々の糧を得るために必死です。大企業はもちろんのこと、小規模の企業や個人であっても攻撃されるのが当たり前の時代になっています。

だから対策が不可欠です。実際、企業に限らず個人でも、様々なセキュリティー製品やサービスを導入しているでしょう。

ですが、どのような製品やサービスを導入しても、攻撃を１００％防ぐことはできません。攻撃と対策はいたちごっこ。今までの攻撃を防ぐ対策が現れると、攻撃者はそれを上回る攻撃手法を必ず考え出します。

さらに問題なのが、攻撃者は「人」を狙うことです。ここでの人とは、ユーザーや管理者を指します。

コンピューターシステムでは、人がウィケーストリンク（鎖の最も弱い部分）になります。攻撃者が人を狙うのは当然です。強固なセキュリティー製品を門だとすると、人をだまして中からその門を開けさせるイメージです。

サイバー攻撃対策として最も重要な対策は「どういった手口が出回っているのかを知ること」になります。手口が分かれば、先回りして効果的な対策を施すことができます。攻撃者にだまされるリスクも軽減できます。

これにより、被害を未然に防いだり、最小限に抑えたりできます。正しい知識は、高価なセキュリティー製品よりも効果があると信じています。

以上のような思いから、日経BPのオンラインメディアである日経クロステックで、最新のサイバー攻撃の手口と対策を解説するコラム「勝村幸博の『今日も誰かが狙われる』」(https://xtech.nikkei.com/atcl/nxt/column/18/00676/)を執筆してきました。そのコラムのおいしいとこ取りしたのが本書です。

本書では同コラムの記事を再編集して、様々な手口を9章に分けて詳しく解説します。もちろん、すべて「実話」です。

第1章「誰もが狙われる」では、誰もが被害者となり得る脅威を解説します。

代表的なのが、パスワードの流出とフィッシング詐欺です。現在では世界のインターネット人口以上のパスワードがインターネットに流出しています。あなたのパスワードも例外ではありません。

パスワードを盗むネット詐欺であるフィッシング詐欺も猛威を振るい、新しい手口が次々と出現しています。HTTPSを使って「鍵」マークを表示させるフィッシングサイトは珍しくありません。リンクをクリックするだけアカウント乗っ取られるフィッシング詐欺まで出現しています。

第2章「コロナ禍の罠」では、新型コロナウイルスに便乗したサイバー攻撃やネット詐欺を解説します。世界的なマスク不足につけ込んで、法外な値段でマスクを売り込もうとする偽メールやビデオ会議への招待メールに見せかける攻撃メールが相次いでいます。新型コロナ禍につけ込んだ、企業版の振り込め詐欺といえるビジネスメール詐欺も後を絶ちません。医療機関を狙ったランサムウエア攻撃まで出現しています。これに関連して、サイバー攻撃者の道徳心についても触れます。

第3章「テレワークの罠」では、テレワークユーザーを狙ったサイバー攻撃やネット詐欺を解説します。新型コロナ禍でテレワークの導入が加速しました。その一方で、急ごしらえのテレワーク環境を狙うサイバー攻撃も増えました。

一例が、テレワークの要といえるVPN（仮想私設通信網）を狙う攻撃です。VPN製品の脆弱性を突いて企業ネットワークに不正侵入を試みる攻撃が急増しています。VPNのパスワードを電話で聞き出すビッシングも確認されています。

第4章「ランサムウエアの罠」では近年、大きな脅威となっているランサムウエアの手口をまとめました。ランサムウエアとはユーザーを脅迫するコンピューターウイルスです。ユーザーのデータを暗号化して、復号したければ金銭を支払うよう要求します。暗号化に加えて、盗んだデータを公開すると脅すランサムウエア攻撃も出現しています。新型コロナ禍の医療機関や学校などを標的にして、大きな被害を及ぼしています。まさに悪魔の所業といえるでしょう。

第5章「メールにもスマホにもメッセージにもパソコンにも罠」では、一般のユーザーにもなじみが深いメールやSMS、スマートフォンなどを悪用するサイバー攻撃やネット詐欺を取り上げます。メールについては人気ユーチューバーが震え上がるような脅迫メールや巧妙すぎるビジネスメール詐欺、SMSについては宅配便の不在通知や送信元を偽装するメッセージが大きな脅威です。

iPhoneユーザーも狙われています。設定プロファイルやカレンダー表示を悪用する巧妙な手口が報告されています。

第6章「パスワードの罠」では、パスワードにまつわる脅威を解説します。

ユーザー認証の代表であるパスワードは利便性が高く低コストで実現できるため、広く使われているのはご存じの通りです。ですが、セキュリティーの面では問題があります。流出データで分かったパスワードの危険な現状や、ピコ太郎氏のではない「PPAP」の問題、忘れてしまったパスワードを思い出す裏技などを取り上げます。

第7章「あなたの心に潜む罠」では、ユーザーの心の隙を突くソーシャルエンジニアリング攻撃に焦点を当てます。様々な手口を紹介しますが、その多くで共通しているのが「アダルト」。性的な話題に人は弱く、詐欺の材料にはうってつけです。

「見たい！」という強い気持ちに打ち勝つのはなかなか難しいようです。攻撃者はそのことをよく知っています。「3億円あげる」などと大金で釣る詐欺も後を絶ちません。人の心とは何ともろいのでしょうか。

第8章「未来のＡＩの罠」では、人工知能（ＡＩ）に関わる脅威を解説します。ＡＩを活用したセキュリティー製品やサービスが登場する一方で、ＡＩを悪用する脅威も相次いで出現しています。

その1つがＡＩを使った盗聴技術。例えば、人物の上半身しか見えないビデオ会議の映像から、その人物がキーボードに入力している文字を推測することができるそうです。部屋の天井からつるされた電球の振動を見て、室内で交わされている会話を盗聴するといった手口の研究も進んでいます。

第9章「あなたを狙う悪い奴ら」では、サイバー攻撃者と当局の苛烈な戦いや、サイバー攻撃者の実態など、一般の人にはあまり知られないサイバーセキュリティーの裏側を紹介します。サイバー犯罪の巣窟であるダークウェブの摘発劇、燃え尽き症候群に陥るサイバー犯罪者、極悪なのに「ファンシーベア」と呼ばれるサイバー攻撃者集団などの実態に迫ります。

本書は経営陣やシステム管理者はもちろんのこと、パソコンやスマートフォンを利用している個人の方も対象にしています。つまり、全国民を対象にしていると言っても過言ではありません。

本書を読んでいただければ分かるように、すべての人がターゲットになっているのが現状です。例外はありません。すべての人が現状を知り、対策を採る必要があります。

攻撃者をこれ以上のさばらせないために、一人でも多くの方に本書を読んでいただき、対策に役立てていただければ幸いです。

2021年4月　勝村幸博

目次

第8章 未来のＡＩの罠

第9章

第1章
誰もが狙われる

1-1 あなたのアカウントは本当に大丈夫？ 流出データ106億件から探してみよう

メールアドレスやパスワードといったアカウント情報の流出が止まらない。もはや日常茶飯事になり、数万件程度の流出ではそれほど話題にならない。

例えば2019年1月、7・7億件のメールアドレスと2000万件のパスワードのデータの塊がインターネット上で見つかっている。これは「Collection ＃1」と呼ばれる。2019年2月にも、メール検証サービスのVerifications.ioから7億件以上のメールアドレスが流出した。

また2017年8月には、6億件以上のメールアドレスが、誰でもアクセス可能なサーバーに置かれているのが見つかっている。このサーバーは、スパムボット（迷惑メールを配信するウイルス感染パソコン）が使っていた。1億を超えるアカウントが、インターネット上で見つかる時代になったのだ。

セキュリティー専門家のトロイ・ハント氏が個人で運営する「Have I Been Pwned（HIBP）」には、2021年3月21日時点で106億2465万2379件の流出アカウントが登録されているという。

ＨＩＢＰは、流出したアカウントを検索できるＷｅｂサービス。ハント氏がインターネットで集めた流出アカウントを登録している。他のセキュリティー研究者などから寄せられるケースもあるようだ。

当然のことながら、過去に流出したすべてのアカウントがＨＩＢＰに登録されているわけではない。それなのに１０６億件とはすごい数だ。

ちなみに国際電気通信連合（ＩＴＵ）によると、世界のインターネットユーザー数は２０１８年末で約39億人、総人口の51・２％に上ると発表している。なんと、世界のインターネットユーザー数を超える数

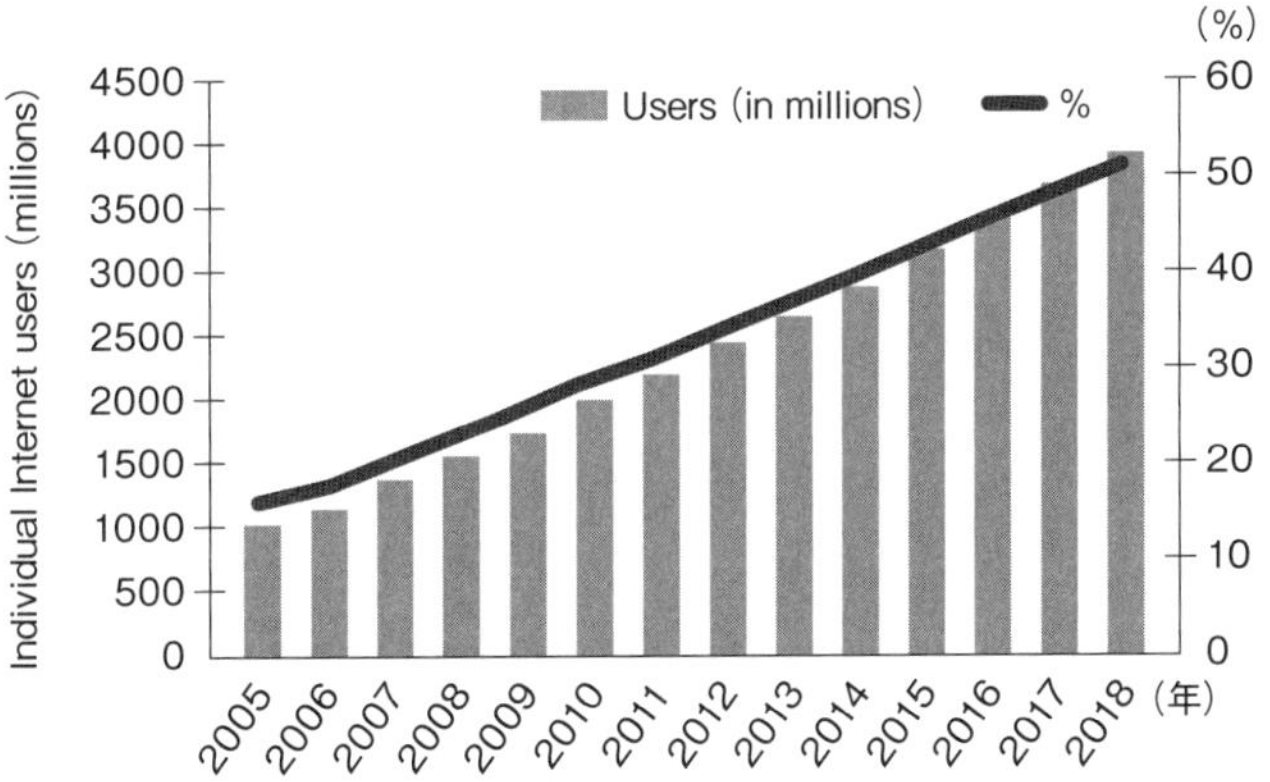

世界のインターネットユーザー数と割合の推移
（出所：ITU「Measuring the Information Society Report Volume 1 2018」）

のアカウントが流出しているのだ。

悲しいかな、筆者の個人用メールアドレスの1つも流出していた。HIBPで調べたところ、「Oh no — pwned !」と表示された。

まだの方は、ご自身のメールアドレスがHIBPに登録されていないかどうか調べてほしい。「Good news — no pwnage found!」と表示された方、おめでとうございます。あなたのメールアドレスは流出していない可能性が高い。

流出していたらどうする？

「Oh no — pwned !」が表示された方、残念です。あなたのメールアドレスは流出している。メールアドレスと共にパスワードも流出している可能性がある。

それらを複数のWebサービスで使い回している場合、リスト型攻撃によって不正ログインされる危険性がある。リスト型攻撃とは、別のWebサイトなどから入手したユーザーIDとパスワードのリストを使って不正ログインを試行する攻撃手法。流出したメールアドレスとそれに対応するパスワードを使い回している場合には、パスワードを変更したほうがよいだろう。

ただ、それほど慌てる必要はない。「Oh no — pwned !」が表示されたからといって、自分にとって重要なアカウント（メールアドレス＋重要なパスワード）が流出しているとは限らないからだ。膨大な流出アカウントの中に、あなたが入力したメールアドレスが含まれていることを示しているだけだ。

例えば、ホワイトペーパーや資料などをダウンロードするために、アカウントを作成しなければならない場合がある。

その場合、多くの人は重要なサービスに使っているパスワードを入力しないだろう。「メールアドレス＋適当なパスワード」といったその場限りのアカウントを作成するはずだ。

そのようなアカウントが流出した場合にも、リスト型攻撃を受ける危険性はないも

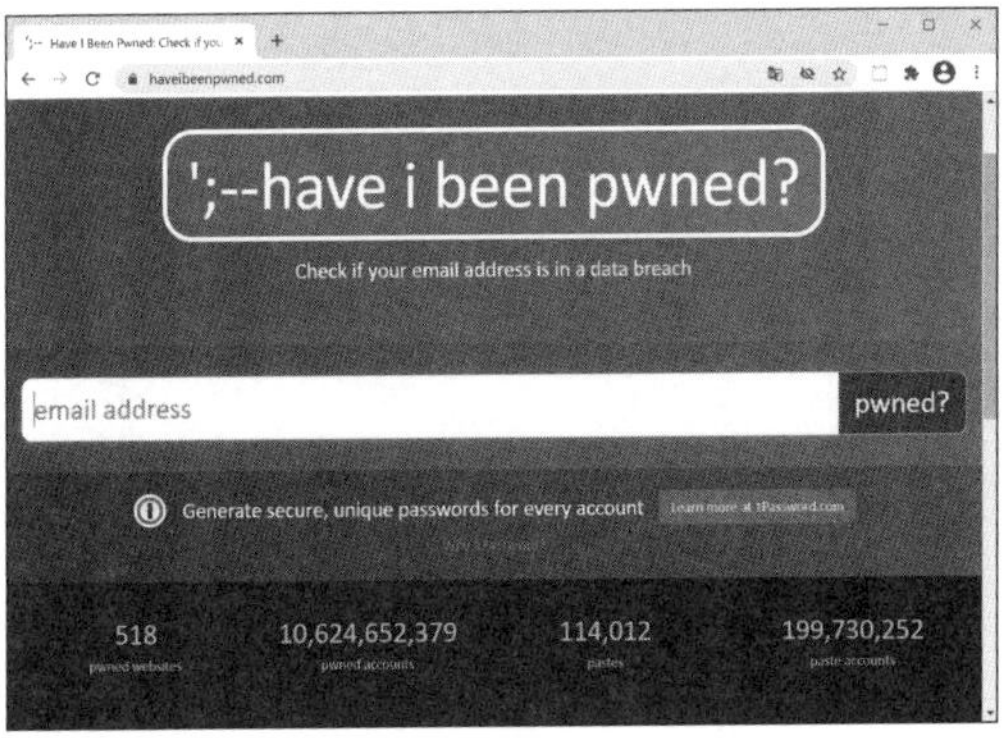

Have I Been Pwned（HIBP）のトップページ
（https://haveibeenpwned.com/）（出所：Have I Been Pwned）

ものの、ＨＩＢＰでは「Oh no ― pwned !」と表示される。

実際、ＨＩＢＰには使い物にならないダミーのアカウントが相当数含まれているようだ。例えば、例示のために用意されていて実際には登録できない「example.com」や「example.net」といったドメインのメールアドレスもＨＩＢＰに含まれている。

有効なのはわずか0・4％という調査結果も

アカウントの重複もかなりあるだろう。例えば、過去最大の情報流出とされている「Collection ＃１」は、過去の流出アカウントの寄せ集めで目新しいものではないという。重複しているアカウントも多いようだ。

セキュリティー研究者の辻伸弘氏が、２０１７年９月と２０１８年２月に見つかった合計16億件のアカウントを調査したところ、有効だったのはわずか0・4％だったという。流出アカウントの件数だけを見て恐れるのは意味がないようだ。

まとめると、以下のようになる。

- ＨＩＢＰで自分のメールアドレスが流出しているかどうかを調べるのは有用
- 「Oh no ― pwned !」が表示された場合、流出したメールアドレスとそれに対応す

るパスワードを使い回している場合には、パスワードの変更を検討する

メールアドレスは半ば公開情報なので、それだけが流出していてもリスクはそれほど大きくない。問題は、重要なシステムやサービスで使っているパスワードが流出していないかどうかだ。

パスワードを入力しても大丈夫？

実はＨＩＢＰでは、登録されている流出アカウントに、入力したパスワードが含まれるかどうかもチェックできる。ＨＩＢＰの1サービスである「Pwned Passwords」である。パスワードを入力すると、流出したアカウントにいくつ含まれるかが表示される。破られることが多く、それでいて多くのユーザーに使われている「最悪のパスワード」として知られる「１２３４５６」で調べたところ、２４２３万５７７件が含まれると表示された。

ただＨＩＢＰと同様に、対応するメールアドレスは分からない。同じパスワードを設定した別のユーザーのアカウントが流出しているのかもしれない。

つまり、自分のアカウント（自分のメールアドレス＋自分のパスワード）が流出しているのではなく、他人のアカウント（他人のメールアドレス＋自分と同じパスワード）が漏

れている可能性がある。

とはいえ、流出アカウントに複数存在するパスワードは、攻撃者に推測されて破られる可能性が高いのでパスワードを変更したほうがよい。

このサービスを紹介しておいて言うのも何だが、メールアドレスはともかく、重要なパスワードを入力することに抵抗を覚える人は多いだろう。

ハント氏はＦＡＱなどに、入力されたパスワードを他の情報とひも付けることはしないこと、クライアント（Ｗｅｂブラウザー）から送られるパスワードをＨＩＢＰ側で一意に特定できないように匿名化処理（ｋ－匿名性の処理）をしていることなどを明記している。

個人的には、ハント氏やＨＩＢＰは信用が置けるし、重要なパスワードを入力しても問題ないと考えている。それでもやはり、入力をためらってしまう。

あるセキュリティー研究者にこのことを話すと、「躊躇（ちゅうちょ）するのは正しい判断」と言われた。あくまでもパスワードは認証のための情報であり、パスワードを入力してよいのは該当のサービスのログイン画面だけ。どんなに信用できるサービスであっても、検索のキーとして入力すべきではないという。筆者は大きくうなずいた。「Pwned Passwords」を使ってみようと思った方は、十分検討した上で利用してほしい。

1-2

多要素認証でも防げないクラウド攻撃出現「最高謝罪責任者」を用意するベンダーも

米国土安全保障省のサイバーセキュリティー・インフラストラクチャー・セキュリティー庁（ＣＩＳＡ）は２０２１年1月中旬、クラウドサービスを狙ったサイバー攻撃が相次いでいるとして注意を呼びかけた。多要素認証を破られたケースもあったという。

セキュリティーの専門家は、「クラウドだから安全」と考えて適切な設定や運用を実施していないユーザーが多いのが一因と指摘。安全性を高めるツールなどを用意してもユーザーが使ってくれないとして、クラウドベンダーも苦慮しているとしている。

例えばあるクラウドベンダーは、「みなさんが思っているほどクラウドは安全ではありません」と謝罪して回る「ＣＡＯ（最高謝罪責任者）」を用意しているほどだという。

テレワークの普及により重要度が増す一方のクラウド。利用している組織は十分注意する必要がある。

繰り返しで効果を増すフィッシング詐欺

ＣＩＳＡは注意を呼びかけるリポートの中で、クラウド利用者を狙ったサイバー攻撃の具体例をいくつか挙げている。その1つがフィッシング詐欺だ。

メールを使ってクラウドサービスの偽のログインページにユーザーを誘導し、ユーザーＩＤやパスワードといった資格情報（認証情報）を入力させて盗む。攻撃者は盗んだ資格情報を使い、その利用者になりすましてメールなどのサービスに不正アクセスする。

さらにそのアカウントを使って、同じ組織の別のユーザーにフィッシングメールを送信する。攻撃者は過去のメールを盗み見できるし、フィッシングメールの送信元は同じ組織のアカウントなので受信者がだまされる可能性は高い。これを繰り返すことで、攻撃者は組織のアカウントを次々と乗っ取れる。

メールの転送ルールを変更される場合もあるという。攻撃者はクラウドのメールサービスの転送ルールを変更し、その組織に送られてきたメールすべてが攻撃者に送られるようにする。

転送ルールのフィルタリング機能を利用して、財務関連のキーワードが含まれるメールのみを転送する攻撃も確認されている。フィルタリングではスペルミスにも対応するという念の入れようだ。例えば「ｍｏｎｅｙ」だけではなく「ｍｏｎｙｅ」もキーワードに含めるイメージである。

「Pass-the-Cookie攻撃」で破られる

ＣＩＳＡのリポートによると、多要素認証を使用していたアカウントも攻撃者によって不正にアクセスされたという。多要素認証とは、スワードだけではなく複数の要素を用いるユーザー認証方法である。

詳細については明らかにしていないが、「Pass-the-Cookie攻撃」が使われたとされる。Pass-the-Cookie攻撃とは、ユーザー認証のためにやりとりされるＣｏｏｋｉｅと呼ばれるデータを横取りして、正規のユーザーになりすます攻撃だ。

クラウドが提供するＷｅｂアプリケーションの多くは、ユーザー認証が完了すると一定期間はＣｏｏｋｉｅを使って正規のユーザーかどうかを確認する。これにより、Ｗｅｂアプリケーションにアクセスするたびに認証しなくても済むようにする。

Pass-the-Cookie攻撃はこの利便性を逆手にとり、認証後のユーザーがやりとりするＣｏｏｋｉｅを盗んでサーバーに送ることで正規の利用者になりすます。

とはいえＣＩＳＡが確認した多要素認証破りは1例だけのようだ。「多要素認証は無意味」というわけではなく、「多要素認証を使用していても破られる危険性がある」と考えるべきだ。多要素認証の使用は必須だろう。

実際ＣＩＳＡも、「多要素認証をすべての利用者に例外なく適用すること」を対策の１つとして挙げている。

そのほか、以下の５項目などを対策として挙げている。

- 条件付きアクセスを実装する
- ログを監視して異常な活動がないか確認する
- メールの転送ルールを定期的に確認するか、転送を制限する
- 社員の私用機器を業務に使わせない
- セキュリティー教育を実施する

ここでの「条件付きアクセス」とは、ユーザーの所属や場所、使っている機器などの条件によってアクセス権限を変えることを指す。

「クラウドは安全」という誤解

クラウドを狙ったサイバー攻撃の被害が頻発している原因の１つはユーザー企業のセ

キュリティー意識の低さだと、ジョン・ペスカトーレ氏は指摘する。同氏はセキュリティー組織である米サンズインスティテュートのディレクターを務める。

サンズインスティテュートの公式メルマガの中でペスカトーレ氏は「クラウドだからという理由だけで、安全な管理や認証、運用が実現できるわけではない」と述べ、オンプレミス（自社運用）と同様に適切な運用管理が不可欠だとしている。

サンズインスティテュートの創立者であり、セキュリティー業界の大御所の1人であるアラン・パーラー氏は興味深いエピソードを紹介した。

あるクラウドベンダーは「クラウドだから安全」という誤解を解くための社員を1人雇っているという。ユーザーに適切な設定や運用をしてもらうためだ。

その人の仕事のほとんどは、ユーザーに「（適切に設定・運用しなければ）クラウドは量販店で購入したサーバーやパソコンと同じくらい安全性が低い」と説明することだという。

非公式ではあるが、その人物こそが冒頭で掲げた「ＣＡＯ」である。一般的にＣＡＯは最高総務責任者や最高分析責任者などの略称だが、ここでは最高謝罪責任者の略である。

オンプレミスと同様に、クラウドを安全に利用するには熟練した専門家が必要だ。だが、クラウドベンダーは専門家がいなくても安全に利用できるようなツール類を用意しているので活用してほしいとパーラー氏は結んでいる。

1-3 パスワードを盗まずにアカウントを乗っ取り 新型フィッシングの恐ろしすぎる手口

フィッシング詐欺の新しい手口が報告された。新手口では、メールに記載された偽のURL（リンク）をクリックするだけで、Microsoft 365などのクラウドサービスのアカウントを乗っ取られる恐れがある。

アカウントを乗っ取られると、クラウドに保存されたファイルやメール、連絡先などあらゆるデータを盗まれてしまう。従来のフィッシング詐欺と大きく異なる点は、ユーザーのパスワードを盗む必要がないことだ。一体、どんな手口なのだろうか。

パスワードを盗むのが常とう手段

一般的なフィッシング詐欺は、ユーザーのパスワードといった資格情報を盗むのが目的だ。攻撃者は実在する企業などをかたった偽メールをターゲットのユーザーに送る。メールには、正規のWebサイトに見せかけた偽サイトのリンクを記載する。

ユーザーがリンクをクリックすると偽サイトに誘導されて、パスワードなどの入力が促される。ユーザーがだまされて入力すると攻撃者に盗まれる。攻撃者はそのパスワードを使って正規のWebサイトにアクセスしてアカウントを乗っ取る。

誘導されるのは偽サイトなので、リンクのドメイン名をチェックすれば見破れることが多い。また、攻撃者の狙いはパスワードなので、「Webサイトでパスワードなどを入力する際には注意する」といったセキュリティーのセオリーを守れば被害に遭わない可能性が高まる。

ところが、2019年12月にセキュリティーベンダーの米フィッシュラブズが報告した新手口では、これらの対策は通用しない。誘導されるのは偽サイトでないうえに、パスワードを盗むことが目的ではないからだ。

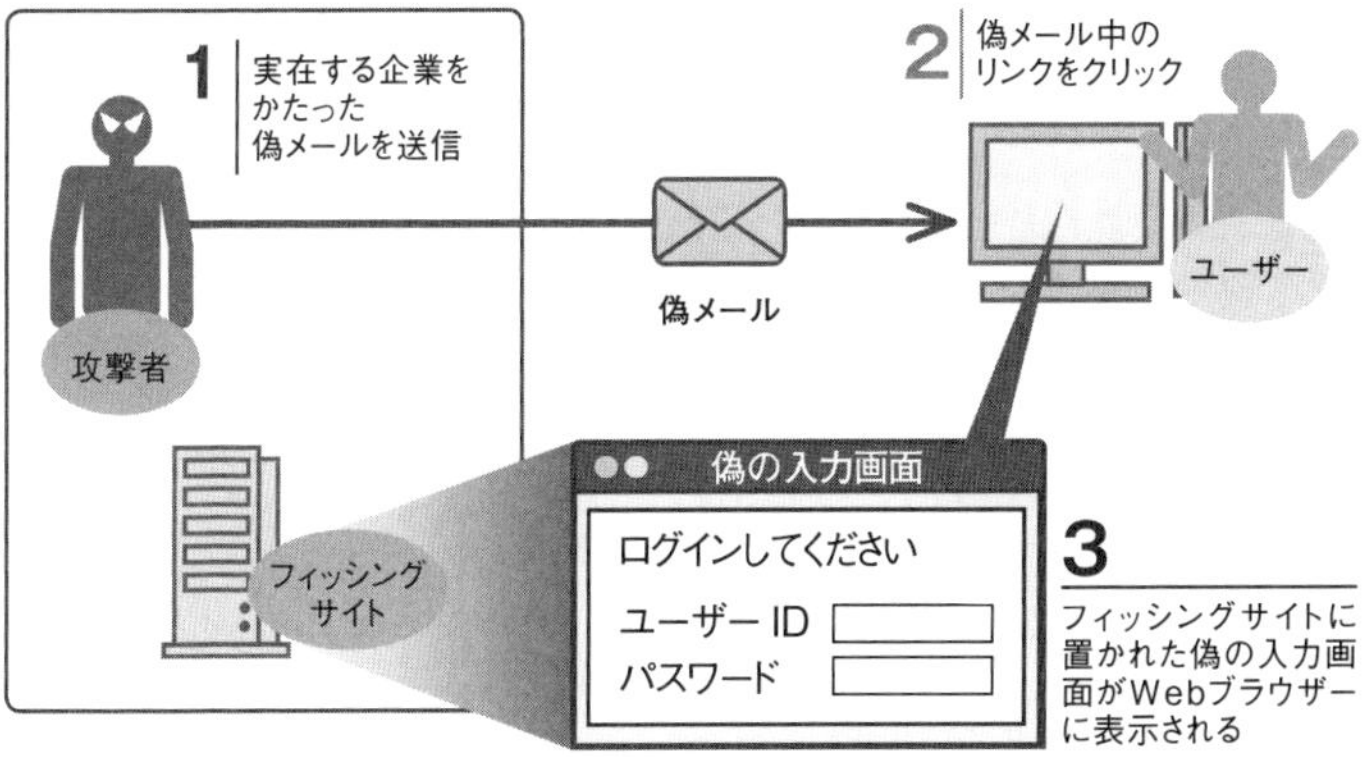
1
実在する企業をかたった偽メールを送信
攻撃者
偽メール
2
偽メール中のリンクをクリック
ユーザー
フィッシングサイト
偽の入力画面
ログインしてください
ユーザーID
パスワード
3
フィッシングサイトに置かれた偽の入力画面がWebブラウザーに表示される

フィッシング詐欺の典型例

Microsoft 365のログインページに誘導する

フィッシュラブズによると、新手口で攻撃者が送るメールはHTMLメールで、クラウドサービスのMicrosoft 365のログイン（サインイン）ページである「https://login.microsoftonline.com/」から始まるリンクが埋め込まれている。

メールには、あるExcelファイルがOneDriveで共有されたと書かれている。Microsoft 365のユーザーならそれほど違和感を覚えないだろう。

Microsoft 365にログインしていない場合、該当のリンクをクリックすると正規のログインページが表示される。

だが、このリンクには罠が仕込まれている。URLは「https://login.microsoftonline.com/」から始まっているが、URLバーを右にスクロールすると見慣れない引数が多数現れる。

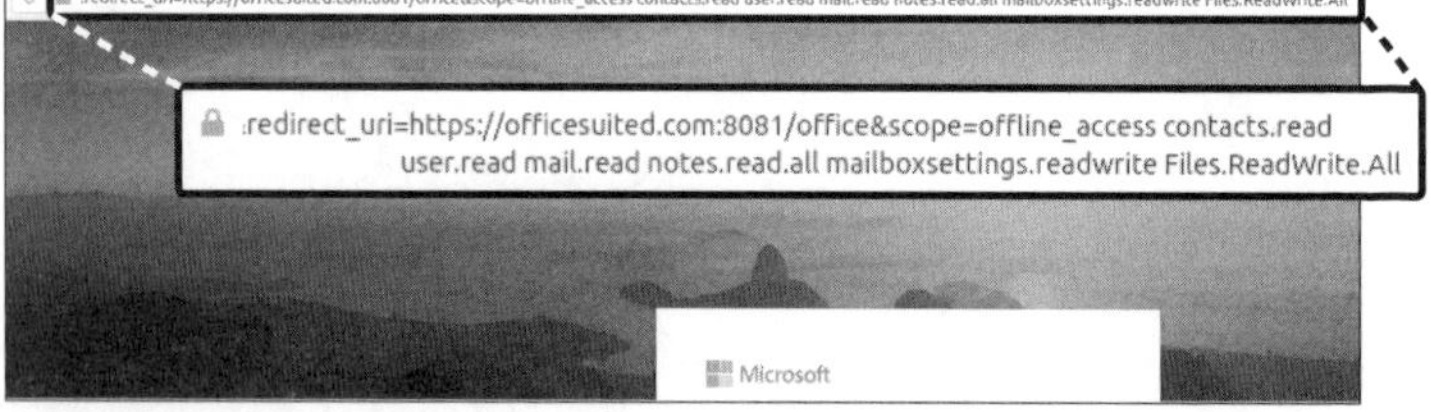

URLには多数のわなが仕込まれている

「https://login.microsoftonline.com/」で始まるURLを右にスクロールしていくと、見慣れないドメイン名や引数が多数表示される。（出所：Krebs on Security）

リンクでアプリをインストールできる

実はMicrosoft 365には、URLで指定することで外部のアプリをMicrosoft 365の特定アカウントにインストールできる機能がある。引数として外部のアプリが置かれている場所と、そのアプリに付与する権限を指定すれば、該当のアカウントでそのアプリを利用できるようになる。

便利な機能ではあるが、不正なアプリを知らずにインストールしてしまうと、該当アカウントに保存されているファイルやメールなどを盗まれる恐れがある。今回の手口がまさにそうだ。

確認された手口では、あるドメインに置かれたアプリに、メールやファイル、連絡先などの読み取りや書き込みの許可を与えるリンクが埋め込まれていた。

このリンクをクリックしたユーザーがMicrosoft 365にログインしている場合、あるいはメールアドレスとパスワードを入力してログインした場合、リンクで指定したアプリに指定された許可を与えるかどうか確認するMicrosoft 365の画面が表示される。

ここで「Accept（許可）」をクリックするとアプリにアクセス権限が与えられ、攻撃者はファイルやメールなどに自由にアクセスできるようになる。事実上、そのアカウントを乗っ取れる。

パスワードを変更しても手遅れ

一度アクセス権限を与えてしまうと、ユーザーがパスワードを変更したり、2要素認証を導入したりしても、アプリはファイルなどにアクセスし続けることができる。これが、パスワードを盗むフィッシングよりも恐ろしい点である。

さらに著名なセキュリティージャーナリストのブライアン・クレブス氏が運営するWebサイト「Krebs on Security」の情報によると、一般のユーザーの画面には、アプリがインストールされていることは表示されないという。ユーザーアカウントを管理するシステム管理者だけが、アプリが承認されたことを確認できるとする。

もちろん、確認画面で「Cancel（キャンセル）」をクリックすれば被害に遭わない。だが、ログイン画面は本物で、確認画面は見慣れないものなのでAcceptをクリックしてしまう可能性は小さくないだろう。

分からなければとにかく「キャンセル」

対策は、よく分からないメッセージが表示されたらとにかくキャンセルすること。「OK」や「許可」をクリックしてはいけない。フィッシュラブズはユーザーのセキュリティー意識を向上させることを対策として推奨している。

加えて、管理者が許可したアプリ以外はインストールできないように機能を制限することも対策として有効だとしている。

日本マイクロソフトでも、ユーザーにAcceptボタンなどをクリックさせて不正に権限を取得する攻撃を「不正な同意の付与攻撃」として警告する文書を公開している。さらに、ユーザーによるAcceptボタンのクリックなど（ユーザーの同意操作）を制限することも対策として挙げている。

今回の手口はMicrosoft 365ユーザーをターゲットにしていたが、ほかのクラウドサービスにも適用可能だ。フィッシュラブズによれば、2017年5月にはGoogleドキュメントのユーザーを狙った類似の攻撃が出現して大きな被害をもたらしたという。Microsoft 365以外のユーザーも十分注意する必要がある。

1-4

崩壊する「ＨＴＴＰＳ神話」鍵マークはもはや信頼の証しではない

個人情報を入力するＷｅｂサイトでは、Ｗｅｂブラウザーに鍵マーク（錠マーク）が表示されているのを確認する――。セキュリティーのセオリーとして、筆者が何度も記事に書いたフレーズだ。

だが、「鍵マークが表示されていれば安全」というＨＴＴＰＳの神話は崩壊した。常識が変わったのだ。

米国の政府組織であるインターネット犯罪苦情センター（ＩＣ３）は２０１９年６月、「Ｗｅｂブラウザーのアドレスバーに、鍵のアイコンあるいは『ｈｔｔｐｓ』という表示があるという理由だけでＷｅｂサイトを信頼しないでください」と注意を呼びかけた。

もはや鍵マークは信頼の証しではない。鍵マークは表示されて当たり前。鍵マークが表示されたからといって、そのＷｅｂサイトが安全とは限らないのだ。

HTTPS対応フィッシングサイトが当たり前に

WebサイトがHTTPS（TLS）に対応していると、Webブラウザーには鍵マークが表示され、URLは「https」から始まる。

HTTPSに対応したWebサイトはサーバー証明書をWebブラウザーに送信し、WebサイトとWebブラウザー間の通信は暗号化される。通信の盗聴は防げるが、これだけではそのWebサイトが信用できることにはならない。

実際、HTTPSに対応した偽サイト（フィッシング詐欺サイト）は多数出現している。セキュリティーベンダーの米フィッシュラブズによると、偽サイト全体に占めるHTTPS対応サイトの割合は、2018年第3四半期には49％になったという。

偽サイトはDV証明書を使う

HTTPSに対応していても信用できないのは、サーバー証明書は3種類あり、種類によっては簡単に取得できるためだ。

具体的には、（1）ドメイン名の所有者であることを確認して発行する「ドメイン認証（DV：Domain Validation）」、（2）申請する組織が実在していることを確認して発行する「組織認証（OV：Organization Validation）」、（3）実在確認などの審査を組織認証よりも厳しく行う「EV（Extended Validation）」あるいは「EV SSL」である。

ＤＶ証明書ではＷｅｂサイト運営組織が実際に存在するかどうかは確認しない。特定の組織を名乗っていても、本当かどうか、信頼できるかどうか分からない。にもかかわらず、ＯＶ証明書やＥＶ証明書と同じように鍵マークが表示される。

筆者が確認した限りでは、ＨＴＴＰＳに対応した偽サイトのほとんどはＤＶ証明書を使っていた。

厳密には、サーバー証明書の種類によってＷｅｂブラウザーの表示は異なる。だが決まった仕様はなく、Ｗｅｂブラウザーによってまちまちだ。最新の状況について、フィッシング詐欺対策の業界団体であるフィッシング対策協議会がまとめているので参考にしてほしい（https://www.antiphishing.jp/news/info/_ssl_20191021.html）。

例えばＥＶ証明書では多くのＷｅｂブラウザーで組織名が表示されるので違いが分かるが、ＤＶ証明書とＯＶ証明書では同じである。ＤＶ証明書とＯＶ証明書の違いは、サーバー証明書の中身を見ないと分からない。

サーバー証明書の「サブジェクト」に、ドメイン名だけが書かれている場合はＤＶ証明書、ドメイン名に加えて所在地や組織名などが書かれている場合はＯＶ証明書である。ただ、ここまでして調べる人はまれだろう。

以上のように、鍵マークの有無だけでは安全性を判断できないのが実情だ。ＥＶ証明書かどうか、ＵＲＬが正しいかどうか、Ｗｅｂページに書かれている内容に不自然な点はないかどうかなどを考慮して、総合的に判断する必要がある。

1-5

水道施設に「毒混入」狙ったサイバー攻撃
お粗末すぎるセキュリティーの恐怖

2021年2月初旬、米国のある水道施設（浄水場）がサイバー攻撃を受けて、飲用水に含まれる水酸化ナトリウムの濃度の設定値が100ppmから1万1100ppmに引き上げられた。職員がすぐに気づいたために実害はなかったが、重要インフラを狙ったサイバーテロとして話題になった。

どういう事件だったのか、何が原因だったのか、犯人は誰なのか――。公表された情報を基に、全米を揺るがしたサイバー攻撃を解説する。

制御システムに不正アクセス

被害に遭ったのはフロリダ州タンパ近郊のオールズマーの水道施設。約1万5000人の住民に水を供給している。同施設の制御システムに外部から不正アクセスがあったのは2月5日の金曜日。翌週月曜日の2月8日、同州ピネラス郡のボブ・ガルティエリ保安官が記者会見を開き、事件の経緯を説明した。

同施設では施設外からトラブル対応などが可能なように、特定の職員はインターネット経由で制御システムにアクセスできるようにしていた。リモートアクセスソフトTeamViewerを使って施設内のパソコンに接続し、そこから制御システムにアクセスしていたようだ。

ガルティエリ保安官によると、2月5日の午前8時ごろ、施設を監視していた職員が制御システムに誰かがアクセスしているのに気づいたという。ただ、上司などは定期的にシステムにリモートアクセスしているので、上司によるアクセスだと思い特に疑わなかった。またアクセスは短時間だった。

そして同日午後1時30分ごろ、攻撃者は制御システムに再度アクセスし、飲用水に投入される水酸化ナトリウムの量を変更した。水道施設では水の酸性度の調整や水中の金属除去のために水酸化ナトリウムを使用している。通常は約100ppmに設定している濃度を1万1100ppmに変更したという。実に100倍以上である。

水酸化ナトリウムは劇物だ。規定量を超えて投入されれば「毒」になる。もし攻撃者の設定通りに水酸化ナトリウムが投入されていれば大変な事態になっていただろう。だが職員がすぐに気づいて設定を元に戻したため実害はなかった。このときの攻撃者の「滞在時間」は3～5分間だったとされる。

重要インフラへのサイバー攻撃は以前より懸念されている。「国家が支援する高度な攻撃者グループが、敵対する国の重要インフラをネットワーク経由で破壊する」といったサイバーテロのシナリオはよく語られる。「なぜオールズマーが狙われたのか分からない」とはガルティエリ保安官の弁だ。「犯人は不明。まだ誰も捕まっていない」とした。

だがその後、そういった類いの攻撃である可能性は低いことが明らかになる。施設のセキュリティーレベルは著しく低かったのだ。

パスワードは共有でファイアウオールはなし

オールズマーの事件を受けてマサチューセッツ州の環境保護局は、同州の水道事業者に対して注意を呼びかける文書を公表した。その文書によると、被害に遭った水道施設では、リモートアクセス用のパスワードを全員で共有していたという。つまり1つのパスワードを全員で使い回していた。

施設のパソコンはインターネットに直接つながっていてファイアウオールなどでは保護されていなかった。さらにパソコンのOSは既にサポートが終了しているWindows7だったとしている。

これらを裏付けるように、米連邦捜査局（FBI）と米CISA、米環境保護庁（EPA）などが2月11日に連名で公表した注意喚起では、ずさんなパスワード管理や古いOSといったセキュリティーの弱点が悪用された可能性があると指摘。多要素認証の導入や最新OSへの更新などを対策として挙げた。

以上のような状況だったので、「国家が支援する高度な攻撃者グループ」が犯人の可能性は低そうだ。伝えられるところによると、CISAの元長官であるクリストファー・クレブス氏は米下院の公聴会において、不満を持った従業員が犯人である可能性が高いと語ったという。

セキュリティー業界の大御所であるブルース・シュナイアー氏も同意見だ。自身が発行するメールマガジンの中で、不満を持ったインサイダー（従業員あるいは元従業員）の可能性が高いだろうとしている。

情報共有が武器になる

セキュリティージャーナリストであるブライアン・クレブス氏は、今回の事件は氷山の一角であり、たまたま表沙汰になったにすぎないと指摘する。クレブス氏が関係者に取材したところ、以下のような実態が明らかになったためだ。

- 米国には約5万4000の水道施設がある
- これらの施設の大部分は5万人未満の住人にサービスを提供しており、わずか数百人または数千人しか対象にしていない施設も多い
- 事実上すべての施設が、監視や管理のためにリモートアクセスを利用している
- これらの施設の多くは無人で資金が不足しており、IT運用を24時間体制では監視できない

さらに、セキュリティーインシデント（サイバーセキュリティーに関する事件・事故）が発生しても報告義務はなく、セキュリティーに関する情報共有も進んでいないという。例えば水道事業者などで構成される情報共有組織「WaterISAC」に参加するのはわずか450の事業者で、業界全体の1％にも満たない。サイバー攻撃を受けたり脆弱性を見つけたりしても、情報共有をためらう傾向にあるという。

ただし今回の事件が公になったことで、水道事業者の多くがリモートアクセスのセキュリティーを見直すことが期待できる。きちんと対策しないと被害に遭うことが具体的に示されたからだ。

インシデントの事実を包み隠さず説明したガルティエリ保安官の記者会見が与えたイン

パクトは大きかった。この記者会見を評価する専門家は多い。防御側にとって情報共有が強い武器になることを改めて示したといえるだろう。

第2章 コロナ禍の罠

2-1

新型コロナ便乗の詐欺や攻撃が猛威 ウイルス入りの「感染マップ」も登場

新型コロナウイルスの脅威は依然収まらない。そこにつけ込むネット詐欺やサイバー攻撃がとどまるところを知らない。時間がたつにつれて、多様化かつ巧妙化した手口が次々と出現している。

被害に遭わないためには手口を知ることが第一。新型コロナに便乗した詐欺や攻撃の最新状況をお伝えする。

マスクが30枚で4万円、実は偽サイト

新型コロナ対策に欠かせないマスク。品薄の状態が著しかった2020年2月末には、マスクを無料送付するという怪しいSMSメッセージが出回り、国民生活センターなどが警告した。リンクをクリックすると運送系企業の偽サイトに誘導される。

そして3月上旬には、マスクを販売するという不審なメールが出現した。国民生活センターが公表した事例では、メールはスマートフォン宛てに送られてくるという。送信者

名には、産業資材を扱う実在するメーカーの名前が書かれている。

価格は30枚で4万1800円。メール本文にある「ご購入はこちら」の画像をクリックすると、攻撃者が待ち受けていると思われるURLに誘導される。

国民生活センターが送信者名に記載されたメーカーに連絡したところ、このようなメールは送付していないと回答。小売り販売もしていないという。

また、このメーカーのドメイン名は社名を表す複数の英単語で構成されていて、単語の間には「-」がある。ところがメールに書かれていたURLのドメイン名には「-」がない。攻撃者は似たドメイン名を取得して偽メールの送信に使ったとみられる。

狙われるテレワーク

新型コロナ対策としてテレワークを推奨し、ビデオ会議を実施する企業が増えている。そこにつけ込む手口も出現している。ビデオ会議への招待メールに見せかけて攻撃メールを送る手口だ。

セキュリティー企業のラックが報告した例では、招待メールに見せかけたメール中の「CHECK IN」ボタンを押すと、攻撃者が用意したWebサイトに誘導される。

ラックによると、招待メールには「会議はすでに始まっています」「あなたの参加を待機しています」など、ユーザーを焦らせるような文章が記載されているという。

正確な感染マップが悪質プログラム

新型コロナはいつになったら収まるのだろうか。毎日のようにネットで感染状況を確認する人も多い。

そのような人々を狙う新手口も確認されている。コンピューターウイルス（マルウエア）入りのウイルス感染マップだ。米国のセキュリティー企業であるマルウエアバイトやリーズン・サイバーセキュリティーなどが報告した。

確認された不審な感染マップは実行形式のプログラム。ファイル名は「corona.exe」など。実行すると、正確な感染状況をリアルタイムで表示する。

一見便利なプログラムに思えるが大きな間違い。ウイルスが仕込まれていて、Ｗｅｂブラウザーに保存されているパスワードやクレジットカード番号、Ｃｏｏｋｉｅなどを盗み出して攻撃者に送信する。

なぜ正確な情報を表示できるのか。米ジョンズ・ホプキンス大学が公開する感染マップ(https://coronavirus.jhu.edu/map.html)のデータをリアルタイムで取り込んでいるからだ。

しかも、このような悪質なプログラムを作成するためのキットが販売されているという。

キットを使えば、任意のウイルスをいくらでも埋め込める。

悪質なプログラムを実行している間、個人情報が盗まれ続けることになる。セキュリティーベンダーなどは、出所不明のプログラムを使うのではなく、オリジナルの感染マップを参照するよう強く勧めている。

WHOをかたるウイルスも

世界保健機関（WHO）をかたるウイルス攻撃も多数確認されている。米プルーフポイントが報告した例では、メールにウイルスが添付されていた。

添付ファイルを実行すると、ユーザーのキー入力を記録して攻撃者に送信するウイルス（キーロガー）に感染する。

さらにプルーフポイントは、社長をかたって従業員をだまそうとする、新型コロナ関連の不審メールも確認している。

このメールが巧妙なのは、正しい社長の名前が記載されていること。社長の名前は第三者でも簡単に調べられるが、名前が正しいというだけで信用してしまう従業員は少なくないだろう。

不審メールに添付されたファイルを開くと、偽のMicrosoft 365のログイン画面に誘導される。そこでユーザーIDやパスワードを入力すると攻撃者に盗まれる。その後、新型コロナに関するWHOのサイトにリダイレクトされるため、だまされたことに気づきにくい。

報道などでは英文のメールを使った攻撃を例示することが多いので、「自分は関係ない」と思う人は少なくないだろう。だが油断は禁物だ。英文のメールでうまくいった攻撃は、必ずといっていいほど日本語に翻訳される。

今回紹介した便乗詐欺や攻撃はほんの一例だ。新型コロナに便乗した新しい手口は毎日のように出現している。

もはや「新型コロナ」と書かれたメールやWebサイトは疑ってかかったほうがよいほどだ。人々の不安につけ込む卑劣な詐欺や攻撃の被害に遭わないよう、手口を知って備えてほしい。

2-2 新型コロナで急増必至の「ビジネスメール詐欺」事例調査で分かった驚きの共犯者

新型コロナウイルス対策でテレワークを導入する国内企業が増えている。それに伴い、業務フローの変更を求められている人は多いはずだ。今まで対面で実施していたやりとりをメールに切り替えたり、書類のチェックを簡素化したりしているケースがあるだろう。

こういった非常時こそ注意しなければならないのが「ビジネスメール詐欺（ＢＥＣ）」だ。ビジネスメール詐欺は企業版の振り込め詐欺。取引先などをかたった偽のメールを企業の経理担当者に送付し、攻撃者の口座に金銭を振り込ませる。

だまし文句に「新型コロナ」を使われる恐れ

典型的な手口は次の通り。攻撃者はまず、２社の経理担当者がやりとりしている請求に関するメールを何らかの方法で盗聴する。

盗聴により両社の担当者や請求に関する詳細が分かったら、まずは請求側（Ｂ社側）の担当者になりすまし、支払い側（Ａ社側）に偽の口座を伝え、金銭を振り込ませる。

攻撃者は支払い側の担当者にもなりすます場合がある。確認中なのでもう少し待ってほしいと請求側の担当者に伝える。請求側の担当者が支払い側の担当者に電話などで確認させないようにするためだ。

支払い側の担当者になりすませない場合には、このやりとりは省かれる。

ビジネスメール詐欺のポイントは、いかに怪しまれないで振込先口座を変更させるかだ。そのため詐欺師は、「監査が入るため」「年度が替わるため」などと言葉巧みに変更させようとする。

現在は、「新型コロナ対策で業務フローが一時的に変わったため」といったただまし文句が通用する。既に新型コ

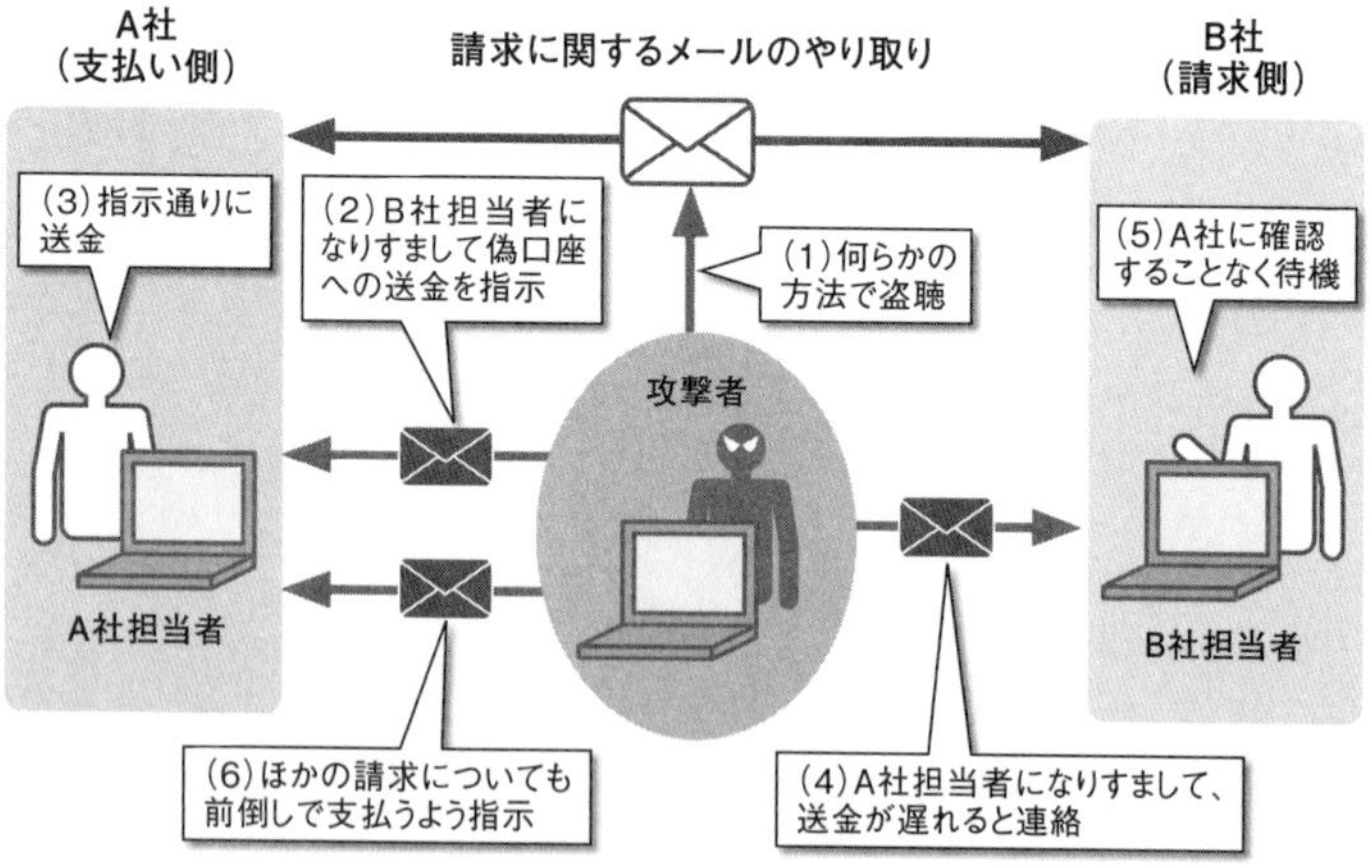
A社
（支払い側）
請求に関するメールのやり取り
B社
（請求側）
（3）指示通りに送金
（2）B社担当者になりすまして偽口座への送金を指示
（1）何らかの方法で盗聴
（5）A社に確認することなく待機
攻撃者
A社担当者
B社担当者
（6）ほかの請求についても前倒しで支払うよう指示
（4）A社担当者になりすまして、送金が遅れると連絡

ビジネスメール詐欺の例

ロナに関連したネット詐欺やサイバー攻撃が相次いでいる。ビジネスメール詐欺でも新型コロナがだまし文句に使われる可能性は高い。

しかも最近は、だまし文句以外にも様々な工夫が凝らされているようだ。国内のセキュリティー組織であるJPCERTコーディネーションセンター（JPCERT/CC）の調査により、意外な共犯者が明らかになった。

国内の被害状況をヒアリング

海外では大規模な被害が報告されているビジネスメール詐欺だが、国内の被害状況はあまり分かっていない。被害に遭っても企業が公表することはまれだからだ。

そこでJPCERT/CCは2019年7月から11月にかけて、日本貿易会ISAC会員企業や石油化学工業協会などを対象に、アンケートおよび対面によるヒアリングで調査を実施。アンケートには12社、ヒアリングには6社が回答し、未遂を含めて117件のビジネスメール詐欺の事例を聞くことができたという。

そしてその結果をまとめ、2020年3月に公表した。企業名はもちろん、個々の事例についてはは公表しないことを条件に調査したとする。調査報告書はJPCERT/CCのWebサイト（https://www.jpcert.or.jp/research/BEC-survey.html）からダウンロードできる。

ＪＰＣＥＲＴ／ＣＣによると、今回の調査で判明したことの1つが、内部関係者の関与だという。被害に遭った企業の関係者が関与していると思われる事例が複数確認されたとしている。

その事例の1つとして、決裁上限額に限りなく近い請求を繰り返したビジネスメール詐欺を挙げている。

決裁金額の上限が3000万円のA社に対して、攻撃者は偽のメールで2900万円、2800万円、2990万円といった金額を請求するメールを送信したという。ただしこの例はあくまでもイメージであり、実際の設定金額や通貨はこれらとは異なる。

「決裁上限額が外部に漏れることは通常は考えられない。この情報を知っている内部の関係者が関与した可能性が高い」（ＪＰＣＥＲＴ／ＣＣ早期警戒グループの森淳太朗氏）。

ビジネスメール詐欺は、請求側と支払い側がやりとりするメールを攻撃者が盗聴して情報を入手することが多いといわれる。その情報を使って正規の担当者をだますのだ。

だが企業の内部に共犯者がいれば、攻撃者はもっとだましやすくなる。内部の人間しか知らない情報が含まれていればいるほど、正規の請求メールだと信じ込ませやすくなる。

狙い撃ちにされた企業も

もう1つは、特定の企業が狙い撃ちにされた事例だ。狙い撃ちされた企業に共犯者がいた可能性が高い。

対象となったのはW社。攻撃者はW社になりすまして取引先のX社にビジネスメール詐欺を仕掛け、X社からW社への支払代金を窃取した。

それから1年以内に、今度はW社に対して、別の取引先であるY社をなりすましたビジネスメール詐欺を仕掛けた。つまりW社は、なりすましの被害とビジネスメール詐欺の被害に相次いで遭ったのだ。

たまたま相次いだとは考えにくい。W社の事情に通じた共犯者がいたために連続して狙われたと考えるほうが自然だろう。

今回の調査対象である117件の事例での請求額は合計で約24億円。詳細は明らかにしていないが、数百万から数千万円規模の被害も発生しているという。

表面化していないだけで、国内企業も狙われている。企業内に潜む共犯者の力を借りて、ビジネスメール詐欺の手口は巧妙化する一方だ。だまされないように改めて注意してほしい。

なりすまされないことも重要

ビジネスメール詐欺対策としてJPCERT/CCでは、「不審なメールを報告しやすい体制を整える」「不審メールに関する訓練や研修を実施する」「異なる部門でダブルチェックするなど、支払いプロセスを見直す」ことなどを挙げている。

また、偽のメールにだまされないための対策に加え、「なりすまされないための対策も重要」（JPCERT/CC早期警戒グループの小島和浩氏）だとする。ビジネスメール詐欺では、攻撃者は標的とする企業の取引企業や関連企業になりすます。なりすましを防ぐ、あるいはなりすましに早期に気づけるようにすれば、ビジネスメール詐欺を未然に防げる。

なりすまされないための対策としては、メールサービスのアカウントの乗っ取りを防ぐことが重要だという。具体的には、フィッシング対策や不正アクセス対策、ウイルス対策といった基本的なセキュリティー対策を挙げている。

2-3
新型コロナ便乗サイトが1日5000件
前例を見ない詐欺師たちの傾向とは

新型コロナウイルスの感染が一向に終息しない。それに伴い、新型コロナに便乗するサイバー攻撃やネット詐欺が猛威を振るっている。それらに対抗すべく、海外ではボランティアによるセキュリティー組織が登場している。

最も規模が大きいのが「COVID-19 Cyber Threat Coalition（CTC）」である。およそ3000人のセキュリティー専門家で組織されている。専門家が所属する企業や団体は様々。企業や団体の垣根を越えて、卑劣な攻撃者や詐欺師に対抗しようとしている。

新型コロナ関連ドメインが急増

CTCは2020年4月中旬、新型コロナ関連ドメインの現状を明らかにした。新型コロナ関連ドメインとは、「COVID」や「coronavirus」といった文字列を含むドメインである。

CTCに参加する米ドメインツールズの専門家によれば、3月上旬から下旬にかけて新型コロナ関連ドメインの登録数が急増。1日当たり5000件を超えた。そのほとんどが高リスクのサイト、すなわち悪意のある可能性が高いサイトだったという。

大きな災害や危機が発生した際には、正規の寄付サイトや支援サイトがまず立ち上がり、それらを模倣する偽サイトが出現するのが一般的だった。

ところが正規サイトが立ち上がる前から、詐欺師は我先にと関連ドメインを貪欲に取得していたのだ。ドメインツールズの専門家は、このような傾向は今までに見たことがないとコメントしている。

同じくCTCに参加する英ソフォスの専門家は、同社製品で得た匿名データを基に、新型コロナ関連サイトへのアクセス数を集計してCTCのWebサイトで公表した。新型コロナ関連サイトの登録数が増えれば増えるほどアクセス数が増えている。それに加えて、2月下旬以降は週に1回アクセスのピークが発生しているのが特徴的だとしている。

FBIは数百の関連ドメインサイトを停止

実際、関連サイトを悪用した詐欺が発生しているようだ。米国のインターネット犯罪苦情センター（IC3）には、4月21日の時点で新型コロナ便乗詐欺に関する苦情が3600件以上寄せられ、その多くで新型コロナ関連ドメインが使われていたとしている。

このためFBIは数百に上る悪質な関連ドメインのサイトを停止したと発表した。

国内では新型コロナ関連サイトを悪用したという話は聞かないが、便乗詐欺は頻発しているようだ。例えば国民生活センターは、SNS（交流サイト）経由で不審なマスク販売サイトに誘導されるケースが複数報告されているとして注意を呼びかけている。

新型コロナに便乗するのは、サイバー攻撃やネット詐欺の常とう手段になりつつある。過剰反応しがちだが、慌てると詐欺師の術中にはまる。これらの単語を見かけても、平常心で対処しよう。

2-4

新型コロナ禍の医療機関にランサムウエア極悪非道のサイバー攻撃者を許すな

新型コロナウイルスに命がけで対応してくれている医療機関。いくら感謝しても感謝しきれない。そんな医療機関を狙うランサムウエア攻撃が相次いでいる。

例えば国際刑事警察機構（インターポール）は2020年4月初め、新型コロナの対応に協力している医療機関などがランサムウエアの標的となっているとして警告文書を公開した。併せてインターポールに加盟する194の国・地域の警察にそのことを通知した。

ランサムウエアは、パソコンやサーバーに保存されたデータを暗号化するなどして利用不能にして、元に戻したければ金銭（身代金）を支払うよう求めるコンピューターウイルスである。

インターポールによると、攻撃者はランサムウエアを使って病院の電子カルテなどを人質にして、身代金を要求するという。命に関わるデータを人質にして身代金を要求する攻撃者たち。決して許してはならない。

らだ。

日本の病院もランサムウエア被害

医療機関を狙うランサムウエア攻撃は今に始まったことではない。医療機関にはセンシティブな情報が多いので、身代金を支払わなければ深刻な事態に発展する可能性が高いからだ。

2016年以降、医療機関を狙ったランサムウエア攻撃が相次いで報告されている。例えば2016年2月、米ロサンゼルスのハリウッド・プレスビテリアン医療センターはランサムウエアによる攻撃を受け、1万7000ドル（約1800万円）相当の身代金を支払ったとされる。

同病院はファイルを暗号化されただけでなく、紙での記録やFAXでの連絡を余儀なくされ、約10日間にわたって業務に深刻な影響が出たという。

2018年1月には米インディアナのハンコックヘルス病院がランサムウエアによる攻撃を受けて、電子カルテシステムが使えなくなった。4ビットコイン（当時約700万円相当）の身代金を支払うことで、4日間で復旧したとされる。

日本の病院も被害に遭っている。奈良県の宇陀市立病院は2018年10月23日、10月1日に導入した電子カルテシステムがランサムウエアに感染したと発表した。

ランサムウエアによって電子カルテのデータが読めなくなれば、患者の命に関わる。医療機関を狙ったランサムウエア攻撃はただでさえ悪魔の所業といえる。

それが新型コロナにより医療機関が苛烈な状況に置かれた今、インターポールが警告するように、攻撃がさらに増えているというのだ。

例えば2020年3月、新型コロナの検査センターとなっているチェコのブルノ大学病院がサイバー攻撃を受けてITシステム全体がシャットダウンしたという。詳細は明らかにされていないが、ランサムウエアを使った攻撃だった可能性がある。

また、セキュリティージャーナリストであるブライアン・クレブス氏のWebサイト「Krebs on Security」によると、2020年5月に欧州最大の病院運営会社であるドイツのフレゼニウスがランサムウエア攻撃を受けたと伝えている。

「医療機関への活動は中止」と宣言

言語道断のランサムウエア攻撃が続く中、妙なことを言い出した攻撃グループがある。ランサムウエア攻撃を繰り返している悪名高い「MAZE（メイズ）」というグループが、医療機関への活動を中止すると宣言したのだ。スロバキアのセキュリティー企業イーセットが2020年3月下旬に報告した。

MAZEの手口はランサムウエアでデータを暗号化するだけではない。暗号化前のデータを盗み出し、MAZEの公式サイトで公表する。

そして身代金を支払えば、暗号化したデータを復号することに加えて、公開しているデータを削除するとしている。これにより、データのバックアップを取っている組織にも身代金の支払いを求める。

MAZEは公式サイトでプレスリリースも発表している。3月18日付のプレスリリースの最後に、前述のようにウイルス（新型コロナ）感染の状況が収まるまで医療機関に対するすべての活動を中止すると記した。

だがその前に書かれていることがひどい。大まかに言うと「新型コロナの影響による世界経済の悪化を鑑みて、暗号化データの復号や公開している流出情報（盗んだ情報）の削除に必要な金額を下げる」というのだ。医療機関以外への攻撃は続けるつもりだ。ランサムウエアを「私たちの製品」、被害者を「パートナー」と呼んでいるのも腹立たしい。

だが話はこれでは終わらない。MAZEはこのプレスリリースを発表した3日後、英国の医療機関であるハマースミス・メディスンズ・リサーチ（HMR）が身代金を支払わなかったとして、公式サイトに盗んだデータを公表したのだ。

このことを一部のニュースメディアが報じると、MAZEはHMRのデータを削除した上で、3月22日付のプレスリリースで「攻撃したのは3月14日だった」と主張。「MAZEを嫌悪する人たちには、3月14日と3月18日の違いが分からない」としている。MAZEにとって「活動」とはランサムウエアに感染させることであって、盗んだデータを公開して金銭を払わせようとする行為は活動ではないようだ。

なお、MAZEは2020年11月、突如活動を終了すると発表。公式サイトも閉鎖した。だが、本当に活動を終了したかどうかは不明だ。名前を変えて活動を継続している可能性が高いと筆者はみている。

攻撃者に道徳心などない

サイバー攻撃者独特の道徳心に関する別のエピソードを紹介しよう。英国のセキュリティー企業デジタルシャドーズが報告した。

2020年3月下旬、悪名高いロシア語のサイバー犯罪フォーラムXSSのあるユーザーが、英語によるスレッド（書き込み）を開始した。

そこには、クレジットカード情報などを売買するアンダーグラウンドサイトにアクセスするためのアカウント（IDとパスワード）が5つ書き込まれていた。

そのアンダーグラウンドサイトにログインするためには有料のアカウントが必要なようだ。

書き込みの主は、それらのアカウントを自由に使っていい代わりに、新型コロナの患者と医療スタッフを支援するための寄付を、ビットコインのある口座に送ってほしいと書き込んだ。

アカウントは「昨年集めた」としているが、どのように集めたかは明らかにしていない。XSSのユーザーという時点で、入手方法は推して知るべしだろう。

さてその後どうなったか。書き込みの主はすぐに追加の書き込みをしなくてはならなくなった。すべてのアカウントのパスワードが誰かに変更されて使えなくなった一方で、寄付は全くなかったというのだ。

翌日、書き込みの主は「これが最後のアカウントだ」として、2組のアカウントを書き込んだ。だが、これらもただ取りされてしまった。

エピソードをもう1つ、こちらもデジタルシャドーズが報告した。別のサイバー犯罪フォーラムKorovkaでの出来事だ。新型コロナに便乗した寄付金詐欺の実現可能性について議論していたという。

その中で、あるユーザーが「そのような詐欺は不道徳だ」と指摘した。だがそれに対して別のユーザーが「そもそもサイバー犯罪は不道徳なことだ」とツッコミ、議論は続いたという。

何を言おうが、彼らがサイバー攻撃者である限り、許される存在ではない。ＭＡＺＥのプレスリリースを紹介したイーセットも「彼らは逮捕され、正義の裁きを受けなければならない」と結んでいる。全くその通りだ。

第3章
テレワークの罠

3-1

パッチを当てても駄目 テレワークのＶＰＮに潜む致命的な脆弱性の恐怖

コロナ禍でテレワークが急速に普及した。多くの企業が頼りにしていたのが社外から安全に社内ネットワークにアクセスできるようにするＶＰＮだが、至る所で「ＶＰＮにつながらない」「遅すぎる」といった悲鳴が上がったのは記憶に新しい。

ＶＰＮサーバーや回線の増強、運用の工夫を求められているシステム管理者は多いだろう。だが注意してほしい。安定運用はもちろん重要だが、それ以上に気をつけるべきはセキュリティーだ。社内ネットワークの入り口となるＶＰＮサーバーの脆弱性を攻撃者は狙っている。

脆弱なＶＰＮサーバーが世界で１万４５００台

国内のセキュリティー組織であるＪＰＣＥＲＴ／ＣＣは２０１９年９月、米フォーティネット、米パルスセキュア、米パロアルトネットワークスのＶＰＮ製品に危険な脆弱性が見つかったとして注意を呼びかけた。

脆弱性を悪用されるとコンピューターウイルスなどを遠隔から実行されたり、任意のファイルを読み取られたり、認証情報を取得されたりする恐れがある。

2019年9月時点でいずれの製品についても脆弱性を修正するプログラム（パッチ）は公開済み。だがパッチ未適用のまま運用されている製品が世界中に多数存在し、攻撃者に狙われ続けている。

特に狙われているのがパルスセキュアの製品だ。米国のセキュリティーベンダーであるバッドパケッツは2019年8月末、パルスセキュア製品の脆弱性（識別番号CVE-2019-11510）の悪用を狙ったとみられるスキャン（探索行為）を確認したと公表した。

この脆弱性を悪用されるとVPNサーバーの認証情報を取得されて、VPNサーバー経由で社内ネットワークに侵入されてしまうという。

この脆弱性を抱えたままインターネット上で運用されているVPNサーバーは世界で1万4500台あり、そのうち1511台が日本国内にあるとしていた。

JPCERT/CCも同様のスキャンとみられる通信を観測。その後、この脆弱性を悪用した攻撃の被害報告が国内の組織から複数寄せられたという。

国内でも見つかった

その後対策が進み、脆弱なVPNサーバーは減っていった。JPCERT／CCによると、前述のように当初1511件確認された脆弱なVPNサーバーは、半年経過した2020年3月24日時点でおよそ8割に対策が施されて、残り298件にまで減ったとしている。

だが裏を返せば、危険なVPNサーバーはまだ300弱も残っていたということだ。JPCERT／CCには、この脆弱性の悪用によるActive Directoryのデータベースファイルの窃取やランサムウエアの感染といった被害が報告されている。

これは国内に限った話ではない。米国と英国の国家セキュリティー組織である米CISAおよび英NCSCは2020年4月上旬、新型コロナウイルスに便乗するネット詐欺やサイバー攻撃が急増しているとして共同で注意を呼びかけた。

その中でテレワークの拡大に伴い、フォーティネット、パルスセキュア、パロアルトネットワークスのVPN製品の既知の脆弱性を悪用する攻撃が継続しているとして改めて注意喚起した。

そして4月15日および16日には、CISAが改めてパルスセキュア製品の脆弱性について注意喚起した。ここまでくどいほどに同じ脆弱性の注意を呼びかけるのは珍しい。それほど危険な状況にあったということだろう。

ＣＩＳＡの情報によると、脆弱性があるときに認証情報を盗まれていると、パッチを適用した後でも不正侵入される恐れがあるという。このためパッチを適用していても、認証情報を変更したり、侵入の痕跡がないか調べたりするよう勧めている。

また「ベンダーが提供するパッチを適用し、必要なシステムアップデートを実行する以外に実行可能な対策はない」と改めて強調。未対策の企業に対して、脆弱性を解消するよう強く呼びかけている。これはパルスセキュア製品に限った話ではない。

自宅で勤務している人の多くにとってＶＰＮは生命線だ。ＶＰＮ経由の不正アクセスが起こるようなことになれば、感染リスクを冒して出社しなければならないような事態になる。

システム管理者は自社のＶＰＮサーバーに問題がないか改めて確認してほしい。そして問題があればすぐに対策してほしい。

また、対策している間はＶＰＮが使えなくなるだろうが、ユーザーはその不便を受け入れてほしい。社内ネットワークに侵入されるようなことになれば、「ＶＰＮを一時的に止める」程度では済まなくなる。

3-2

VPNへの不正侵入を狙う「ビッシング」ワンタイムパスワードでも防げない

米FBIと米CISAは2020年8月下旬、「ビッシング」に関するセキュリティー勧告を合同で発表した。

ビッシングとは電話を使ったフィッシング詐欺。ボイスフィッシングの略である。「音声フィッシング」などとも呼ばれる。一般的なフィッシングは偽メールなどを使うのに対して、ビッシングはユーザーに電話をかけて偽サイトに誘導し個人情報などを入力させる。

ビッシング自体は新しくない。15年以上前から存在する手口だ。だが新型コロナウイルス禍でテレワークが一般的になっている現在、ビッシングが新たな脅威になっている。

FBIとCISAは2020年7月中旬、米国のリモートワーカーをターゲットした大規模なビッシングキャンペーンを確認したという。一体、どのような手口なのだろうか。

狙いはVPNのパスワード

従来のビッシングは主に銀行の口座情報を狙っていた。攻撃者は銀行の担当者を装って被害者候補に電話をして、偽のネットバンキングサイトなどに誘導。暗証番号などを入力させて盗む。

偽の電話番号を記載した偽の銀行サイトを立ち上げて、被害者候補から攻撃者に電話をかけさせる手口もある。ビッシングの逆になるので、リバースビッシングとも呼ばれる。

だが最近のビッシングの標的は、企業のVPNサーバーにログインするためのパスワードだ。コロナ禍により、現在では多くの企業がVPNによるテレワークを導入している。VPNはテレワークの要。インターネットと社内LANの境界に設置されたVPNサーバーを突破されると、社内の機密情報を盗まれてしまう。

しかもテレワークでは対面での確認が難しくなり、電話やビジネスチャットなどに頼らざるを得なくなっている。攻撃者はそこに目を付けた。電話を使って偽のVPNログインサイトに誘導し、ログインに必要なパスワードなどを盗むのだ。

FBIとCISAのセキュリティー勧告によると、攻撃の手順は次の通り。

攻撃者はまず、標的とする企業の偽のVPNログインサイトを作成する。正規のサイトと思わせるために、それらしいドメインを取得するのが常とう手段のようだ。具体的には次ページ下の図のようなドメインを使用する。[company]には標的とした企業の名称が入る。

最後の「ｏｋｔａ」とはＩＤ管理サービスの最大手である米オクタを指す。

セキュリティージャーナリストであるブライアン・クレブス氏は同氏の公式ブログで実例をいくつか挙げている。

例えば、米バンク・オブ・アメリカや米ＡＴ＆Ｔの社員を狙ったと思われる「bofaticket.com」および「helpdesk-att.com」を確認しているという。

怪しまれないために、偽ログインサイトのサーバー証明書を取得することも忘れない。つまり、該当ページのURLは「ｈｔｔｐｓ」で始まり、Ｗｅｂブラウザーには鍵マーク（錠マーク）が表示される。

加えて、ログインサイトの見た目も偽装する。企業が用意する正規のＶＰＮログインサイトはインターネットからアクセス可能で、ＵＲＬも推測可能

- support-[company]
- ticket-[company]
- employee-[company]
- [company]-support
- [company]-okta

[company]には標的とした企業の名称が入る

偽のVPNログインサイトでよく使われるドメインの一覧

なケースが多い。攻撃者は正規サイトにアクセスして画像などをコピーし、見た目をそっくりにする。

次に攻撃者はターゲットになる社員を探す。SNSで公開しているプロフィールやリクルートおよびマーケティングのツール、人物のバックグラウンドをチェックするツールなどを使って、標的企業の社員に関する情報を集めるという。

FBIとCISAによると、その情報には社員の名前や自宅の住所、個人の携帯電話番号、所属や肩書、在籍期間といった情報が含まれているとする。

攻撃者はこれらの情報を使って標的とした社員に電話をかけて、VPNのログインページが変更したこととそのURLを伝える。その際、攻撃者はその企業のIT部門やヘルプデスクのメンバーを装う。

慌てた社員が偽のログインページにアクセスしてユーザーIDとパスワードを入力すると、それらは攻撃者に盗まれる。

狙われる新入社員

「ウチではユーザーIDとパスワード以外にワンタイムパスワードも必要なので大丈夫」と安心したあなた。大間違いである。この攻撃は、被害者と正規のログインサイトの間に偽サイトが割り込む中間者攻撃なので、ワンタイムパスワードは通用しない。

被害者が偽サイトでユーザーIDとパスワードを入力すると、偽サイトはそれらを正規のログインサイトに送信する。正規サイトは被害者にワンタイムパスワードをメールやSMSで送信。受信した被害者はワンタイムパスワードを偽サイトに入力する。

攻撃者はそのワンタイムパスワードを使ってVPNにログイン。社内ネットワークに侵入し、金銭的価値が高そうな情報やさらなるビッシングに使えそうな情報を盗む。

想像してほしい。あなたがVPNに頼るテレワーカーだとする。ある日、あなたの携帯電話にIT部門やヘルプデスクを名乗る人から連絡がある。自分の所属や肩書を確認されたうえで、現在のVPNはまもなく使えなくなるから別のVPNを紹介すると言われる。

紹介された別のVPNログインサイトにアクセスすると、ドメイン名はそれらしく、HTTPSで接続されている。ここで、ユーザーIDとパスワードを入力しないでいられるだろうか。筆者にはその自信はない。クレブス氏の公式ブログによると、この手口の成功率は高いようだ。

ポイントはメールではなく電話であることだと思う。メールで「VPNのサイトが変わりました」と送られてきたら、多くの人は警戒するだろう。だが、自分のことを知っていると思われる人から電話がかかってきたら、信用してしまう可能性が高い。

テレワークの普及により、VPNユーザーが爆発的に増えていることも攻撃者にとってのメリットだ。攻撃がうまくいかなかったらターゲットを変えればよい。現在ではアタックサーフェス、すなわち攻撃できる対象が増えているため、攻撃が成功する可能性が高まっている。

加えてクレブス氏の情報によると、新入社員がターゲットになっているらしい。ベテランなら、「何十年間もいるが、こんな電話がかかってきたことはない」と怪しむ余地があるが、新入社員なら「こんなものか」と受け入れる可能性が高い。

端末認証と周知が有効

国内では被害が確認されていないが、対岸の火事ではない。海外でうまくいった手口は必ずといってよいほど国内に持ち込まれる。

対策としてFBIとCISAは、ワンタイムパスワードといったユーザー入力だけではVPNにアクセスできないようにすることを第一に挙げている。デジタル証明書やハードウエアトークン、インストールされているソフトウエアのチェックなどで、アクセスしようとしている端末も認証する。これならば、今回のような中間者攻撃を防げる。

企業向けの対策としては、このほかに「侵入された場合でも被害が拡大しないようにVPNのアクセス時間を制限する」「自社ドメインに似た偽サイトを作られないように、新たに取得されたドメインを監視する」「不正なアクセスや変更がないか、Webアプリケーションをアクティブにスキャンして監視する」などを挙げている。だが、いずれも実現可能性や費用対効果に疑問がある。端末認証の併用が最適解だと思う。

エンドユーザーの対策としては、「正規のVPNログインページのURLをブックマークして、電話で代替URLを伝えられてもアクセスしない」「知らない人からの電話や訪問、メールを信用しない」といったことを挙げている。とはいえ、これらが難しいことは歴史が証明している。

とにかく、今回紹介したような手口が存在し、実際に被害が発生していることを周知することがエンドユーザー向けの対策としては最も有効だろう。

3-3 ビジネスチャットＳｌａｃｋが人気「ウイルス」君も悪用している

今さらながら恐縮だが、ビジネスチャットツールの「Slack」が大人気である。国内でも導入企業は増える一方だ。

最近では、米マイクロソフトのMicrosoft 365との連携も進んでいる。

これだけ人気のツールなので、人だけではなく、「ウイルス」君まで使い始めた。ウイルス君は流行に敏感だ。

遠隔操作型が主流

近年出回っているウイルスの多くは、攻撃者が遠隔操作できるようになっている。遠隔操作が可能なウイルスは、ボットや遠隔操作ウイルス、ＲＡＴ（Remote Access Tool／Remote Administration Tool／Remote Access Trojanなどの略）などと呼ばれる。

攻撃者は、Ｗｅｂやメールなどを経由して攻撃対象の組織のパソコンにウイルスを送り込む。そして該当パソコンにウイルスを感染させて乗っ取る。

その後ウイルスは、定期的に攻撃者の支配下にあるサーバーにアクセスして命令を取得。その命令に従って動作する。例えば、指定された拡張子のファイルを盗んで攻撃者に送ったり、指定されたIPアドレスのコンピューターに攻撃を仕掛けたりする。新しいウイルスを送り込むことも可能だ。

攻撃者の命令を中継するコンピューターはコマンド・アンド・コントロールサーバーと呼ばれ、C&CサーバーやC2サーバーなどと略される。

遠隔操作型のメリットは、状況に応じた挙動が可能なことだ。攻撃対象のコンピューターやネットワーク環境に応じて攻撃内容や攻撃対象を絶えず変更できる。挙動をあらかじめプログラムしたウイルスで

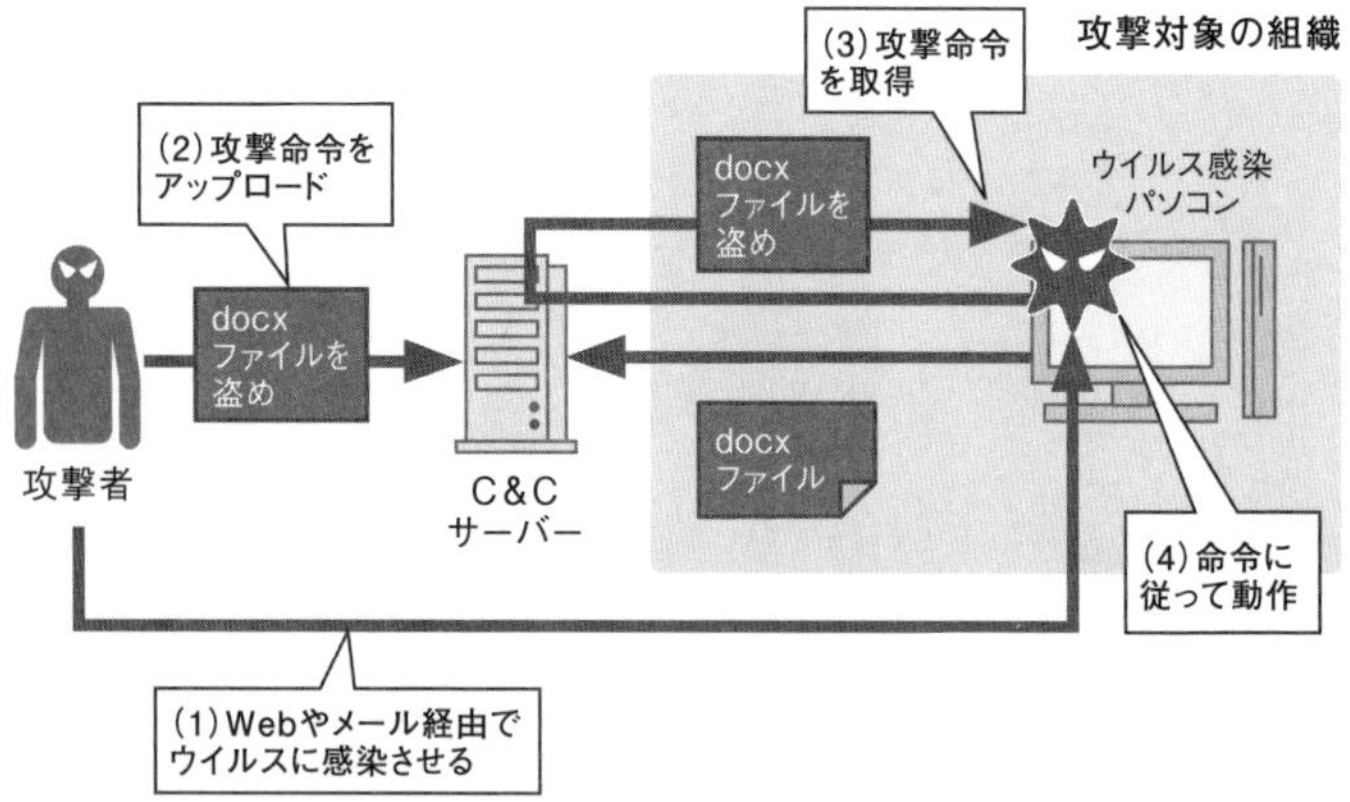
攻撃対象の組織
(3) 攻撃命令を取得
(2) 攻撃命令をアップロード
docx ファイルを盗め
ウイルス感染パソコン
docx ファイルを盗め
攻撃者
C&C サーバー
docx ファイル
(4) 命令に従って動作
(1) Webやメール経由でウイルスに感染させる

遠隔操作が可能なウイルスの例

はできない業だ。

一方で弱点もある。サーバーのホスティング事業者やＩＳＰ（インターネット接続事業者）などにＣ＆Ｃサーバーを落とされる（使用不能にされる）と、せっかく感染させたウイルスを操れなくなる。

そこで攻撃者が考えたのは、正規のＷｅｂサービスを使って命令を送り込むことだ。自前でＣ＆Ｃサーバーを用意した場合とは異なり、サーバー自体を落とされる心配はない。

例えば２０１０年、Twitterを悪用したウイルスが出現した。パソコンに感染したウイルスは、あらかじめ指定されたTwitterアカウントのツイートを定期的にチェック。命令がツイートされている場合には、そのコマンドに従って動作する。

そのようなTwitterウイルスを作成するツールも確認された。ツールは簡単に操作できるＧＵＩを備えており、1分もかからずにウイルスを作成できるという。

２０１２年には、掲示板サイト「2ちゃんねる」経由で命令を受け取るウイルスが出現した。世間を騒がせた「遠隔操作ウイルス」である。誤認逮捕から始まった、劇場型犯罪の典型といえるこの事件。当時の大騒ぎを覚えている方は多いだろう。

そして今回、命令伝達にSlackを使うウイルスが確認された。トレンドマイクロが２０１９年3月中旬、同社の公式ブログで明らかにした。同社によると、Slackの悪用が確認されたのはこれが初めてだという。

今回のウイルスは、「GitHub（ギットハブ）」とfile.ioも使うという。GitHubはソフトウエア開発のプラットフォーム。こちらも人気のWebサービスだ。file.ioはファイル共有サービスである。ウイルスは、SlackとGitHubを使うことから「SLUB（スラブ）」と名付けられた。

水飲み場型攻撃を仕掛ける

SLUBは、Webサイトを経由して感染させられる。攻撃者は、一般のWebサイトを改ざんして攻撃コードを仕込んでおく。このような攻撃は、多くのユーザーがアクセスする一般のWebサイトを動物たちが集まる水飲み場に例えて、「水飲

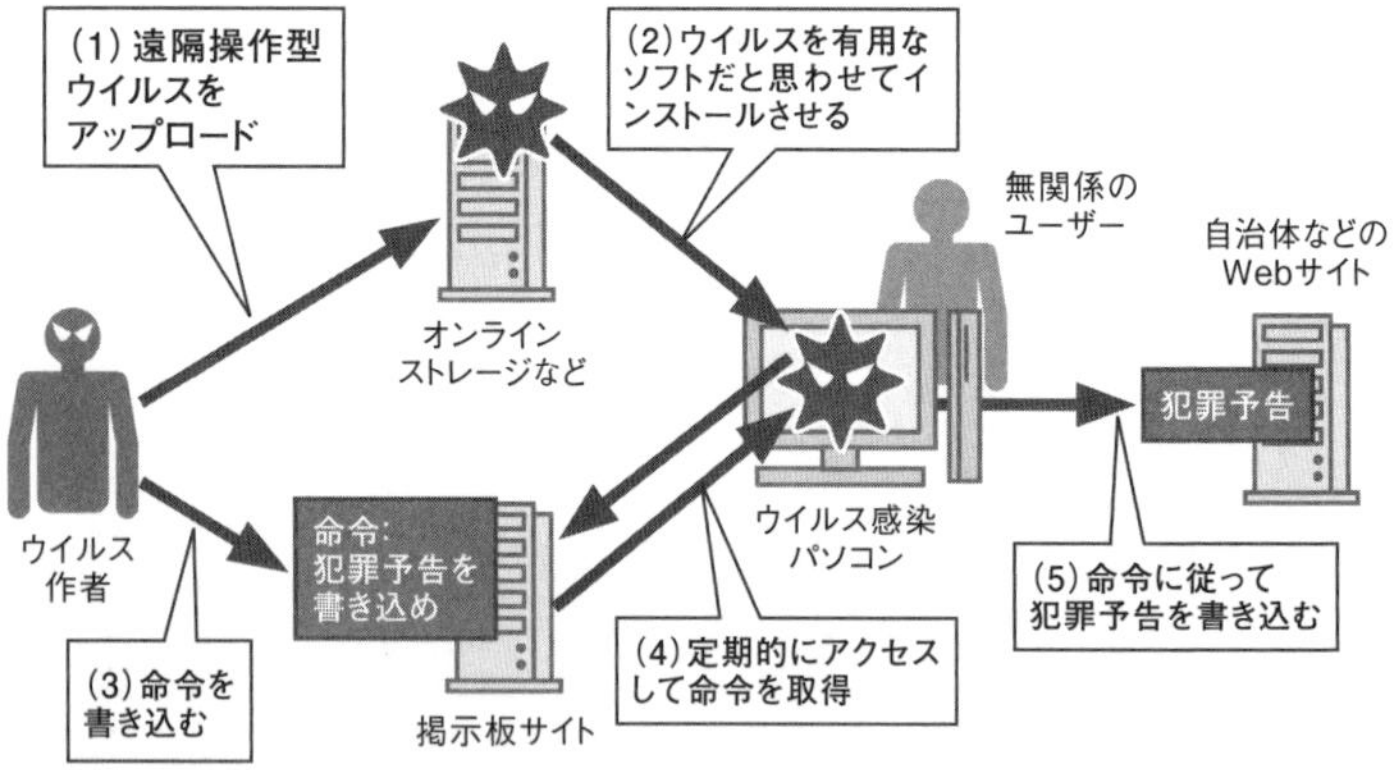
(1) 遠隔操作型
ウイルスを
アップロード
(2) ウイルスを有用な
ソフトだと思わせてイ
ンストールさせる
無関係の
ユーザー
自治体などの
Webサイト
オンライン
ストレージなど
犯罪予告
ウイルス
作者
命令:
犯罪予告を
書き込め
ウイルス感染
パソコン
(5) 命令に従って
犯罪予告を書き込む
(3) 命令を
書き込む
(4) 定期的にアクセス
して命令を取得
掲示板サイト

遠隔操作ウイルスを悪用した犯罪予告の例

み場型攻撃」と呼ぶ。

攻撃者は、水飲み場型攻撃サイトに、Windowsの脆弱性「識別番号CVE-2018-8174」を突く仕掛けを施しておく。この脆弱性のあるWindowsパソコンでアクセスするとダウンローダーが実行され、SLUBがダウンロードおよび実行される。

感染したSLUBは、GitHubから命令を取得。コマンドの実行結果などはSlackに作成されたワークスペースのプライベートチャンネルに投稿する。また、盗んだファイルなどはfile.ioにアップロードする。

外部との通信を記録するプロキシーサーバーなどのログは、ウイルス感染を検出するための有力な材料になる。現在のウイルスの多くは外部と通信するからだ。見慣れないドメインのサーバーと通信している場合には、組織内のパソコンがウイルスに感染している可能性がある。

ただ今回の事例のように、TwitterやSlackといったまっとうなWebサービスからも、攻撃者の命令が送られてくる恐れがある。「見慣れないドメインとの通信はないから大丈夫」と早合点するのは禁物だ。

3-4

テレワーク終了で職場に戻る大量のパソコン 隔離ネットワークにもウイルス感染の恐れ

緊急事態宣言が解除され、テレワークによる在宅勤務から通常勤務に切り替わる人は多いだろう。それに伴い、社員が自宅で使っていたノートパソコンや外部記憶装置などが社内ネットワークに接続されることになる。

攻撃者にとって、マルウエアを社内ネットワークに送り込める絶好の機会だ。「我が社は一般の社員が使うネットワークと、機密情報があるネットワークを分離しているから大丈夫」などと油断していると大変な目に遭う。物理的に隔離したネットワークにウイルス感染を広げる手口が出回っているからだ。

接続前のセキュリティーチェックが不可欠

緊急事態宣言が発出されると、多くの企業がテレワークによる在宅勤務を推奨あるいは強制する。そのため会社貸与のパソコンを使って社内ネットワークにVPNで接続していた人は多いだろう。

緊急事態宣言の解除とともにテレワークを終了する企業では、それらのパソコンが職場に一斉に戻ることになる。

通常、自宅のネットワークは社内ネットワークよりもセキュリティーレベルが低く、ウイルス感染や不正アクセスのリスクが高い。自宅で使っていたパソコンを社内ネットワークにつなぐのは危険な行為であり、ウイルスが持ち込まれる可能性がある。

このためセキュリティー組織やセキュリティーベンダーは、社外に持ち出した機器を社内ネットワークにつなぐ際には十分注意するよう呼びかけている。

例えば日本ネットワークセキュリティ協会（ＪＮＳＡ）はチェックリストを公開。社内ネットワークに接続する前には、「セキュリティー対策が最新の状態か」「ウイルスに感染していないか」「無許可のソフトウエアがインストールされていないか」などを確認するよう勧めている。

社内ネットワークに接続した機器が不審な通信をしていないか、監視を一定期間強化することも勧めている。ウイルス対策ソフトなどによるウイルスチェックは万全ではない。見逃した場合の安全策として、通信の監視は有効だ。

エアギャップを越えるウイルス出現

チェックをかいくぐったウイルスへの対策としては、ネットワークの分離も有効だ。一般社員が使用するネットワークやインターネットに接続されたネットワークから、重要なネットワークを物理的に隔離する。

隔離したネットワーク（隔離ネットワーク）と通常のネットワークはつながっておらず、両者の間には空気（エア）しかない。このため両者の間はエアギャップ（空気の隙間）と呼ばれ、隔離ネットワークはエアギャップネットワークとも呼ばれる。

通常のネットワークにウイルス感染パソコンが接続されても、隔離ネットワークにはウイルスは侵入できない——。そう考えるのが自然だろう。

だがここ最近、隔離ネットワークへの感染拡大を狙ったウイルスが相次いで報告されている。トレンドマイクロが2020年5月12日、スロバキアのイーセットが5月13日、ロシアのカスペルスキーが5月14日に、それぞれ異なるウイルスを報告した。

いずれのウイルスも基本的な考え方は同じだ。USBデバイスに感染することでエアギャップを越えるのだ。トレンドマイクロが詳しい情報を公開しているので、ここでは同社が報告した「USBferry」ウイルスを例に説明しよう。

パソコンに感染したウイルスはUSBデバイスが接続されるのを待つ。接続されると自分自身とそのインストーラーをＵＳＢデバイスにコピーする。

ユーザーがそのＵＳＢデバイスを別のパソコンに接続して、不用意にインストーラーを実行するとそのパソコンに感染が拡大する。そのパソコンが隔離ネットワークにある場合、ウイルスはエアギャップを越えたことになる。

感染したウイルスは別のＵＳＢデバイスの接続を待つとともに、パソコンに保存されたＷｏｒｄなどの文書ファイルを収集する。そして、感染しているパソコンがインターネットにつながっているかを調査。つながっている場合には収集したファイルを攻撃者のサーバーに送信する。

隔離ネットワークのパソコンの場合にはファイルをＵＳＢデバイスに保存。そのＵＳＢデバイスが、インターネットにつながっていてなおかつウイルスに感染している別のパソコンに接続されるのを待つ。そして接続され次第、保存されたファイルを攻撃者のサーバーに送る。

ＵＳＢデバイスで感染を広げるウイルスは以前から多数存在するが、隔離ネットワークに置かれた機密情報を盗むことを目的としたウイルスは珍しい。筆者が知る限りでは初めてである。

ネットワーク分離は万全ではない

トレンドマイクロによると、このウイルスを使った攻撃は台湾とフィリピンの軍の隔離ネットワークをターゲットにしているという。

攻撃者はまず、セキュリティーレベルが低い関連組織のネットワークにこのウイルスを送り込む。あとはユーザーの手によって、USBデバイス経由でそのウイルスが隔離ネットワークに運ばれるのを待つ。時間はかかりそうだが、ユーザーを「運び屋」にする巧みな手口といえるだろう。

結局、ネットワークを分離することはセキュリティーの向上に効果があるものの万全ではないということだ。トレンドマイクロも「サイバースパイから重要な情報を守るための完全なソリューションにはならない」と強調している。

ネットワークを物理的に分離していても、ユーザーが関わっている以上、つながってしまう可能性があるのだ。

米国のセキュリティー組織であるサンズインスティテュートのフェローを務めるセキュリティー専門家のエド・スクーディス氏も、エアギャップはつながっていない（リンクしていない）わけではなく、「通信速度が非常に遅いネットワークリンクにすぎない」と指摘している。

第4章

ランサムウエアの罠

4-1

身代金払えない被害者続出 それでも荒稼ぎするランサムウエア攻撃の卑劣さ

ランサムウエアの脅威は増すばかりだ。2020年にホンダを襲った大規模なシステム障害もランサムウエアが原因の可能性があるといわれている。

ランサムウエアはコンピューターに保存されたデータを暗号化して使用不能にするコンピューターウイルス。このためデータのバックアップが有効な対策だった。だがその常識が崩れつつある。新型コロナウイルスによる経済状況の悪化で、暗号化だけに頼らない新手口が出現しているのだ。

暗号化して身代金を要求

ランサムウエアの「ランサム」は英語で身代金の意味。データを暗号化した後、元に戻したければ金銭（身代金）を支払うよう画面に表示する。データが使えなくなって困ったユーザーがビットコインなどの暗号資産（仮想通貨）で身代金を支払うと、攻撃者はデータを復元するためのツールや情報をメールなどで送信する。

従来のランサムウエア攻撃の流れ

従来のランサムウエア攻撃のイメージは次の通り。まず攻撃者はメールなどでランサムウエアをできるだけ多くのユーザーにばらまく。2017年に多数のユーザーを泣かせたWannaCry（ワナクライ）のように、ソフトウエアの脆弱性を突いてネットワーク経由で感染を広げるランサムウエアもある。

あとは被害に遭ったユーザーが身代金を振り込むのを待つ。一般のユーザーでも払えるように身代金は数万円に設定している。いわゆるばらまき型であり、薄く広く稼ぐイメージだった。

ところがここ1～2年で大きく様変わりした。特定の組織を狙う標的型にシフト

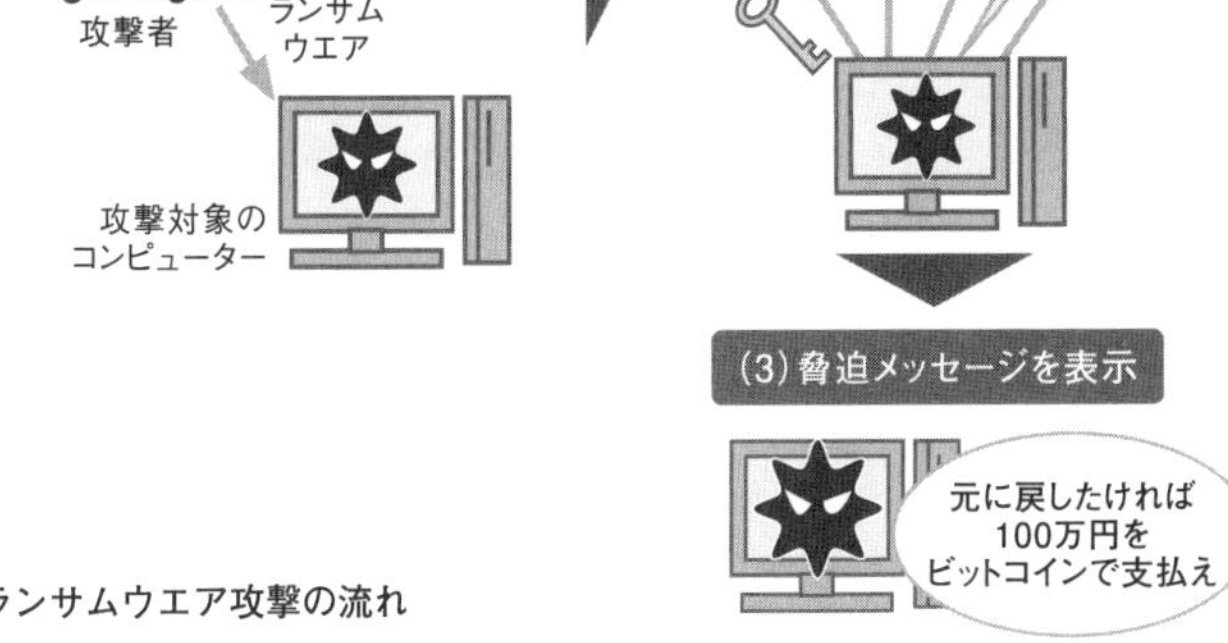
(1) 不正侵入した攻撃者などによって感染
(2) コンピューター内のデータを暗号化

ランサムウエア攻撃の流れ

しているのだ。金銭的価値が高い情報やセンシティブな情報を扱う組織に狙いを絞ってランサムウエアを送り込み、高額の身代金を要求する。

最近では、新型コロナウイルス対応で苛烈な状況に置かれている医療機関が特に狙われている。

盗んだデータを公表すると脅す

ランサムウエアによる被害が相次ぎ、バックアップの重要性がいやが応でも高まった。ランサムウエア対策としてデータバックアップの体制を整えた組織は多いだろう。

そこで攻撃者が打った次の手がデータの窃取である。暗号化する前にデータを盗み出すのだ。身代金を払わないとデータの復元ツールを渡さないばかりか、そのデータを公開すると脅す。まずは盗んだデータの一部を公開して、身代金を払わないと全データを公表すると脅す手口もある。

ＭＡＺＥはこの手口を使う代表的な攻撃者グループだった。ＭＡＺＥはランサムウエアの被害に遭った組織に身代金を要求。指定の期日までに支払わない場合には、ＭＡＺＥのＷｅｂサイトでデータの一部を「証拠」として公開する。そして身代金を支払うまでは公開し続ける。すべてのデータを公開する場合もある。

ＭＡＺＥを参考に、他の攻撃者グループもこの手口を使い始めている。例えば２０２０年５月末、ある攻撃者グループは米ミシガン州立大学のネットワークにNetWalker（ネットウオーカー）というランサムウエアを送り込んでデータを盗むとともに暗号化した。そして攻撃者は、１週間以内に身代金を支払わないとデータを公開すると脅したという。

２０２０年６月初めには、ランサムウエアのDoppelPaymer（ドッペルペイマー）を使う攻撃者グループがＩＴ管理大手の米ＤＭＩに感染させたと発表。盗んだデータの一部をダークウェブで公開して同社を脅迫したと伝えられる。

データを盗む攻撃者は、「ランサムウエ

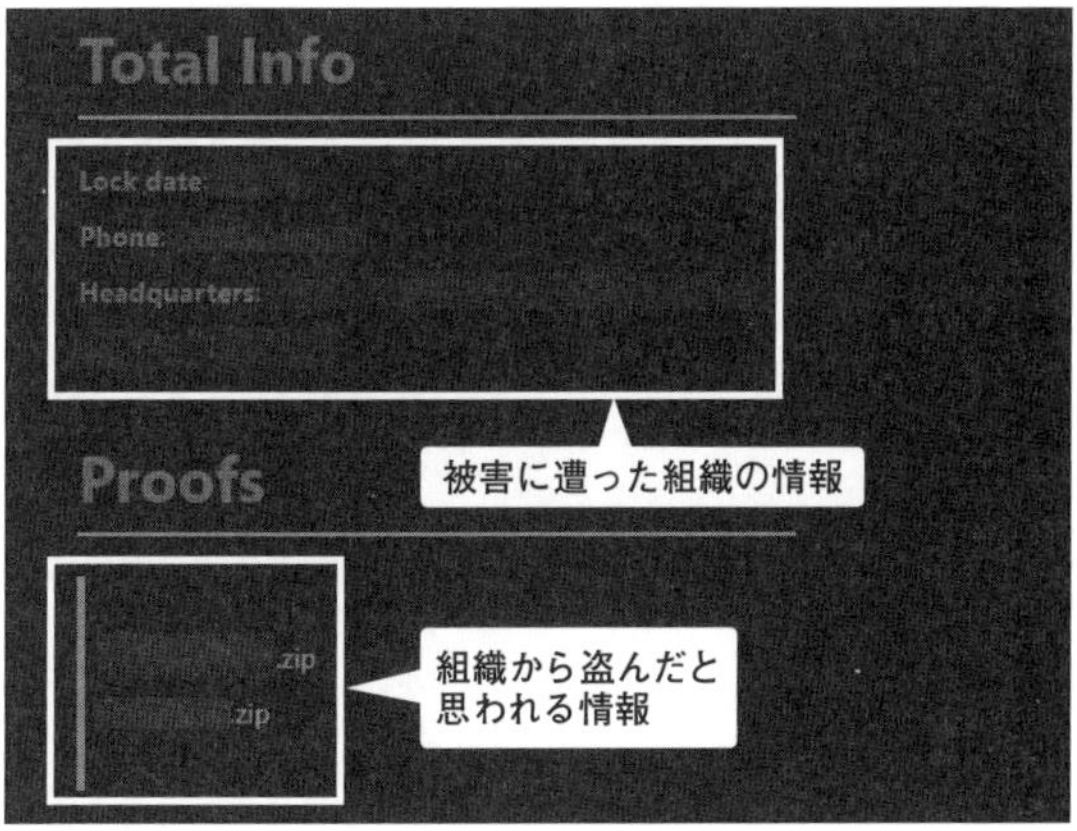

MAZEのWebサイト。画像は編集部で修整。公開されているデータの中身は未確認
（出所：MAZE）

アをメールで送って、ユーザーがクリックするのを待つ」といった悠長なことはしない。多くは標的とした組織のネットワークに力業で侵入してデータを盗んだ上でランサムウエアを感染させる。

セキュリティー企業の米ファイアアイは2020年5月初め、MAZEの攻撃を分析したリポートを発表した。それによると、標的組織のネットワークに侵入した攻撃者はサーバーやパソコンにウイルスを次々と感染させて乗っ取り、足場を築くという。同時にMimikatz（ミミカッツ）などのツールを使ってサーバーなどの資格情報を収集し、管理者権限などを取得する。「password」といった単語を含むファイルも探して資格情報を入手しようとする。

その後、「nslookup」などのWindowsコマンドを使ってネットワーク構成を把握。盗んだ資格情報を使って様々なサーバーに侵入して情報を盗み、攻撃者のFTPサーバーにアップロードする。

以上が終了したら、最後にランサムウエアを拡散させてデータを暗号化する。ランサムウエアは付け足しのようなものだ。これを「ランサムウエア攻撃」と呼んでいいのか疑問だ。データの窃取を目的とした高度な標的型攻撃である。これをWannaCryの感染拡大と同列に論じるのは抵抗がある。

脅迫以外の新手口が出現

暗号化とデータ公開が1セットになりつつあるランサムウエア攻撃。ファイアアイのリポートによると、公開しているデータの削除に追加料金を要求する攻撃者もあるという。身代金を二重に要求するわけだ。

卑劣さを増すランサムウエア攻撃だが、さらに新手口が出現した。被害者以外から金銭を取得する手口だ。セキュリティージャーナリストのブライアン・クレブス氏が2020年6月初めに報告した。

REvilというランサムウエアを使う攻撃者グループは、カナダの農業生産法人から盗んだデータをオークションにかけたという。データには3つのデータベースと2万2000以上のファイルが含まれる。オークションの開始価格は5万ドル(約540万円)だった。

この背景には新型コロナによる経済状況の悪化があるという。前述のように暗号化とデータ公開によって、攻撃者は被害者から搾れるだけ搾り取ろうとするのが基本的な戦略だった。だが経済状況の悪化により、身代金を払いたくても払えない被害者組織が増えているようだ。

実際、調査会社の米チェーンアナリシスが2020年4月中旬に発表したリポートによると、新型コロナによる危機が激化した3月以降、暗号資産による身代金の支払いは大幅に減少したという。

同社は身代金の支払先として指定される暗号資産のアドレスを監視し、身代金の支払い状況を調べている。

以上のように、もはやランサムウエア攻撃はデータの暗号化にとどまらない。データを盗まれて公開されたり第三者に販売されたりしてしまう。バックアップはもちろん重要だが、それだけでは対策として不十分になっている。

4-2
学校で荒れ狂うランサムウエア
遠隔授業狙う攻撃者の卑しい魂胆

新型コロナウイルスによって混乱している世界中の教育現場。学校は授業の立て直しに必死だ。感染防止策やリモート授業の導入で授業を再開する国や地域が増えている。

だが、そのような努力を踏みにじろうとしているヤツらがいる。ランサムウエア攻撃者だ。米国では8月から9月にかけて始まる新年度を狙ったランサムウエア攻撃が頻発。新年度の初日を延期しなければならなかった学校もあった。

学校は格好のターゲット

企業などに比べて学校は守りが手薄といわれている。予算や人員の確保が難しいためだ。このため以前からサイバー攻撃の標的になっている。

例えばコンサルティング会社の米エドテックストラテジーズが運営するWebサイト「The K-12 Cybersecurity Resource Center」によると、2016年1月以降、K-12（幼稚園から高等学校）で発生したセキュリティー事件・事故は2021年3月22日時点で

1180件に上る。

2020年には世間一般と同じようにランサムウエア攻撃が増えていたようだ。セキュリティー企業の米アーマーによると、2020年1月1日から4月8日までに17の学区および大学がランサムウエア攻撃を受けたという。一方、2019年の同時期にランサムウエアに感染した学区および大学は8つだった。2倍以上に増えている。なおここでの学区とは、米国において公立学校（公立の幼稚園から高等学校）を運営するためにつくられた区分を指す。

そして2020年8月から9月にかけて、新年度を狙ったランサムウエア攻撃が相次いだ。なぜこのタイミングを狙ったのか。コロナ禍で休校を余儀なくされていた学校としてはできるだけ早く授業を再開したいはずだ。そのため「身代金」の支払いに応じやすいと考えた攻撃者の魂胆が透けて見える。

スクールバスが運行できない

被害に遭った学区の1つが、コネティカット州のハートフォードである。ハートフォードの公立学校は9月8日に新学期の授業を始める予定だった。地元メディアによると、ランサムウエアに感染したのはハートフォードのサーバーだという。同学区には公立学校用を含め約300台のサーバーがあり、そのうち200台が感染した。

調査の結果、攻撃者は9月3日にシステムに侵入し、5日にランサムウエアを感染させた。攻撃者はタイミングを計ったのだ。システム管理者は復旧に努めたが授業開始予定の8日には間に合わず、スクールバスのルートをバス会社に知らせるシステムが利用できなくなった。生徒の送迎が困難になったため、新学期の開始を1日遅らせた。

ノースカロライナ州のヘイウッド郡学区では8月24日、リモート授業を提供するためのシステムがランサムウエアに感染。リモート授業の開始を延期した。システムに保存していた個人情報が流出した可能性もあるという。

地元メディアによると、数千台のChromebookと呼ばれるパソコンを生徒に配布し、新学期から始めるリモート授業に備えていたという。それがランサムウエアによって延期されたため、関係者は大いに落胆したと伝えている。

サイバー攻撃者に良心を求めてはいけないが、ここ最近の攻撃は度が過ぎているというかタガが外れた感がある。コロナ禍で苦闘する医療機関を狙うランサムウエア攻撃や、攻撃で窃取した情報の大量暴露などが相次いでいる。学校へのランサムウエア攻撃も、コロナ禍で奪われた子どもたちの教育機会をさらに奪う非道な攻撃といえるだろう。日本の学校も対岸の火事ではない。リモート授業が続く大学などは格好の標的になりそうだ。

4-3

急増する暴露型ランサムウエア身代金支払いは無駄と言える訳

2020年に世の中を騒がせた脅威「暴露型ランサムウエア」攻撃がある。従来のランサムウエア攻撃は感染したコンピューターのデータを暗号化し、復号したければ身代金を支払うよう脅迫する。ところが2020年以降、身代金を求めるだけでなく、データを暴露すると脅す手口が急増した。これが暴露型ランサムウエア攻撃である。

盗んだデータの一部を公開

攻撃者グループによっては、盗んだデータの一部を「証拠」としてまず公開する。そして身代金を支払わないと残りのデータも公開すると脅す。身代金を支払えば、残りのデータを公開しないのはもちろん、公開済みのデータも消去するとしている。

重要な業務データを不特定多数に公開される――。企業にとっては深刻な事態だ。だが、ランサムウエア攻撃の被害に遭った企業を支援しているセキュリティー企業の米コーブウエアは、従来のランサムウエア攻撃に対してならともかく、暴露型に対しては身代金の支払いは無駄だと主張する。

コーブウエアは2020年11月、2020年第3四半期のランサムウエアに関するリポートを公表した。同社が確認したランサムウエア攻撃のほぼ半数が暴露型であり、身代金の支払額は増える一方だという。2020年第3四半期における支払額の平均値は23万3817ドルで前期比31％増だった。

データを暗号化するだけのランサムウエア攻撃なら、バックアップさえ取っていれば攻撃者の力を借りずに復旧できる。ところが暴露型では復旧できても、攻撃者に連絡しなければデータが公開されてしまう。被害者としては一刻も早くデータを消してもらいたいところだ。だがコーブウエアは身代金を支払おうとする顧客（被害者）に「データが確実に消去されるとは限らない」とアドバイスしているという。

攻撃者グループは盗んだデータを使って繰り返し脅迫する可能性がある。Sodinokibi（ソディノキビ）というランサムウエアを使う攻撃者グループは身代金が支払われた数週間後、消去したはずのデータを再度公開すると脅した。ランサムウエアのNetwalkerおよびMespinoza（メスピノーザ）を使う攻撃者グループは身代金が支払われたにもかかわらず、その企業のデータを公開した。

盗まれたデータが既に公開されている場合は、ほぼ間違いなく第三者も入手している。

攻撃者グループが約束通り消去したとしても、第三者によって拡散される可能性がある。

身代金よりも責任ある対応を

コーブウエアは顧客に対して、身代金支払いではなく、データの流出で影響を受ける関係者全員に責任ある対応をすることを強く勧めている。具体的にはプライバシー問題に強い弁護士の助言を受け、盗まれたデータが何かを調査し、助言と調査結果に基づいて関係者に通知するなどを挙げている。

一方、従来のランサムウエア攻撃は状況が異なる。この場合も筆者は身代金を支払うべきではないと思うが、身代金と引き換えに攻撃者グループが復号のためのデータやツールを被害者に渡せば暗号化データを復号できるので、繰り返し脅迫されることはない。身代金を支払ったにもかかわらず、復号に必要なデータなどを攻撃者グループが渡さない場合もある。身代金が無駄になりデータも復号できないが、データ流出の恐れはない。

以上を考えれば、非道と思われた従来のランサムウエア攻撃も、暴露型に比べればまだマシに思えてしまう。

暴露型ランサムウエア攻撃は今後も増加の一途をたどるだろう。「データを盗まれたら終わり、交渉の余地はない」。そう肝に銘じて守りを一層固めてほしい。

4-4
米大統領選狙ったランサムウエア　ボットネットを潰したマイクロソフトの秘策

近年、インターネットにおける最大の脅威はランサムウエアと言っても過言ではない。攻撃者はランサムウエアを使って、新型コロナウイルス禍で苦しむ医療機関や教育機関を次々と襲っている。2020年11月の米大統領選も格好のターゲットだった。米メディアは9月末、州などが投票結果の表示に使うソフトウエアを手がけるベンダーがランサムウエアの被害に遭ったと報じた。

ランサムウエアの被害が拡大している元凶の1つがボットネットである。ボットネットとはコンピューターウイルスに感染したコンピューターで構成されるネットワークのこと。C&Cサーバーの命令に従ってランサムウエアをダウンロードし、ボットネットを構成するコンピューターに感染させたり、別のコンピューターにメールなどで送信したりする。

このためランサムウエアの感染拡大防止にはボットネットを潰すことが効果的だ。そしてボットネットを潰すには、C&Cサーバーを利用不能にするのが手っ取り早い。これをテイクダウンと呼ぶ。

マイクロソフトの新たな切り札

米マイクロソフトや通信事業者、セキュリティーベンダーなどで組織した対策チームは、TrickBot（トリックボット）マルウエアのボットネットのC＆Cサーバーを突き止め、2020年10月中旬に利用不能にしたと明らかにした。

TrickBotはボットネットを形成するウイルスの一種である。世界中で100万台以上のコンピューターに感染してボットネットを形成し、ランサムウエア攻撃に用いられてきた。

テイクダウンの常とう手段はC＆Cサーバーを法的に差し止めることである。C＆Cサーバーをホスティングしているプロバイダーは企業などからの要請があってもC＆Cサーバーを停止させることはまずない。そこで法的措置を取る。該当のサーバーが不法行為をしていると裁判所に訴えるのだ。裁判所が訴えを認めると、該当のプロバイダーに差し止めを求める。プロバイダーは従わざるを得ない。

これまでにもマイクロソフトは同様の方法でいくつものボットネットをテイクダウンしているが、今回の法的措置にはこれまでにない「秘策」が含まれていた。従来は攻撃者の不法行為としてコンピューター犯罪取締法違反や商標権の侵害などを訴えていた。それらに著作権侵害を加えたのである。

２０２０年10月6日、同社らが原告となってバージニア州東部地区連邦地方裁判所に提出した民事訴訟の法的書類では、訴えとして著作権侵害が最初に書かれている。そしてコンピューター犯罪取締法違反、電子プライバシー法違反、商標権侵害などが続いていた。なぜボットネットが著作権侵害なのか。法的書類によると、マイクロソフトが提供するソフトウエア開発キット（ＳＤＫ）のコードの一部がTrickBotに無断で使われていることを確認したためとしている。

著作権侵害は緊急性が高いと裁判所が判断すると考えたのだろう。実際に奏功したかどうかは明言していないが、同社は公式ブログの声明の中で初の試みとして肯定的に述べている。このためこの秘策が、迅速なテイクダウンにつながった可能性は高い。

ただ、TrickBotのＣ＆Ｃサーバーの一部は復活したようだ。マイクロソフトも法的書類の中で、Ｃ＆ＣサーバーはＩＰアドレスを動的に変えるため、完全に撲滅するのは難しいとしている。とはいえ多数のＣ＆Ｃサーバーを利用不能にできたことは確かなようだ。加えて著作権侵害という切り札を手に入れた。今後はテイクダウンの一層の効率化や迅速化が期待できるだろう。

第5章
メールにもスマホにも
メッセージにもパソコンにも罠

5-1

クラウドメールは北朝鮮のサイバー攻撃と同列？ 米機関が注意喚起

米国土安全保障省（DHS）のサイバーセキュリティー機関であるナショナル・サイバーセキュリティー・アンド・コミュニケーションズ・インテグレーション・センター（NCCIC）は、同国を脅威にさらすサイバー攻撃に関するリポートを2018年5月以降不定期に公開し、注意を呼び掛けるとともに対策などを公表している。

リポートでは、北朝鮮が関与するとみられる脅威を多数取り上げている。

例えば、「North Korean Trojan：TYPEFRAME（北朝鮮のトロイの木馬：TYPEFRAME）」や「North Korean Tunneling Tool：ELECTRICFISH（北朝鮮のトンネリングツール：ELECTRICFISH）」といった具合だ。世界中を騒がせたランサムウエアSamSam（サムサム）については4回にわたって取り上げている。

サイバー攻撃に使われるツールやコンピューターウイルスの情報だけを取り上げてきたNCCICの分析リポート。ところが2019年5月中旬、これまでとは種類が異なるリポートが公開された。広く使われているクラウドサービス「Office 365」（2020年にMicrosoft365に名称変更）に関する注意喚起だった。

多くの企業で使われていたOffice 365のセキュリティーを、北朝鮮によるサイバー攻撃などと同列に扱ったことに驚いた。導入は進んでいるが、設定や運用に不備があると、国家が関与するサイバー攻撃と同じくらいに危ないという注意喚起かもしれない。

メールのクラウド移行が当たり前に

メールシステムを自社運用（オンプレミス）からMicrosoft 365に移行する組織が増えている。みなさんが所属する企業の多くもMicrosoft 365に移行しているのではないだろうか。

筆者は正直、Microsoft 365の普及ぶりに驚いている。数年前までは、メールシステムのクラウド移行に消極的な組織が多いと感じていたからだ。

組織のメールシステムでは、業務上の秘密が記載されたメールを多数やりとりする。メールシステムに侵入されてメールを盗み見されたり、従業員になりすましたメールを送られたりすると一大事である。

このためクラウドの業務利用が進み始めた2010年ごろも、「ほかのシステムはクラウドに移行しても、メールだけは別」と取材に答えるユーザー企業が多かったと記憶している。

だが、クラウドへの信頼性の高まりと、Office 365の登場が状況を大きく変えた。2011年6月に登場したOffice 365は、メールや予定表といったクラウドサービスだけではなく、ローカルで使えるOfficeスイートもセットにした。これが大きかったと思う。例えば2014年の時点で、米国ではフォーチュン500企業の6割、日本でも日経225企業の6割がOffice 365を導入済みだと日本マイクロソフトは説明している。

ログイン画面は誰でもアクセス可能

システム管理者はメールシステムのお守りから解放され、ユーザーはインターネット経由で業務メールを送受信できるようになった。恩恵は大きい。

だがNCCICが指摘するように、問題はセキュリティーだ。クラウドのメールサービスがオンプレミスのメールシステムと大きく異なるのは、ログイン画面が社外、つまりインターネット上に用意されていること。Webブラウザーさえあれば、誰でもログイン画面にアクセスできてしまう。

にもかかわらず、オンプレミスのメールシステムと同様に、ユーザー名とパスワードのユーザー認証しか用意していないところが多い。このため推測や総当たり、フィッシングなどでパスワードが攻撃者に知られると、不正にログインされてしまう。

メールシステムをクラウドに移行したことで利便性は高まったものの、セキュリティーについてはオンプレミスと同じつもりで運用している、つまり使い手の意識が大きな問題なのだ。

NCCICは、Office 365や他のクラウドサービスへの移行に伴うリスクを認識する必要があるとした。2018年10月以降、Office 365に移行した組織を調査したところ、セキュリティーを低下させる設定や運用が見られたという。

対策としてリポートでは、ユーザー名とパスワードだけではなく、アプリケーション（アプリ）などを使った認証も使う、多要素認証を導入することを挙げている。

その他、「ユーザーのメール操作などを記録するメールボックス監査ログを有効にする（2019年1月より既定で有効）」「Office 365にユーザーを移行する前に、Azure Active Directory（Azure AD）が適切に計画および設定されているか確認する」「多要素認証に対応していないレガシープロトコル（POP3、IMAP、SMTPなど）は無効にする」ことを挙げている。

NCCICが注意喚起したほどMicrosoft 365のセキュリティー確保は重要な課題だ。管理者は参考にしてほしい。

5-2

巧妙すぎて防げるわけがない！ビジネスメール詐欺はここまで来た

「ビジネスメール詐欺（ＢＥＣ）」の被害が後を絶たない。「２－２ 新型コロナで急増必至の『ビジネスメール詐欺』、事例調査で分かった驚きの共犯者」でも触れた通りだ。改めて書くが、ビジネスメール詐欺は企業版の振り込め詐欺。取引先などをかたった偽のメールを企業の経理担当者に送付し、攻撃者の口座に金銭を振り込ませる。

２０１３年ごろから米国などで確認され、その後被害件数が増大。２０１７年には国内でも大きな被害が出始めた。例えば日本航空（ＪＡＬ）は２０１７年12月、３億８０００万円の被害に遭ったことを明らかにした。

米国の政府組織であるインターネット犯罪苦情センター（ＩＣ３）によると、２０１３年10月から２０１８年５月までの５年弱の間に発生した世界のビジネスメール詐欺事件は７万８６１７件で、損失額は合計１２５億ドル（約１兆３６００億円）に達したと発表した。

メールの盗聴から始まる

ビジネスメール詐欺で攻撃者がなりすますのは、（1）取引先の企業、（2）上司（経営者）、（3）弁護士や法律事務所など権威のある第三者の3種類。例えば、取引先の企業をかたる場合の流れは次のようになる。

攻撃者はまず、2社の経理担当者がやりとりしている請求に関するメールを何らかの方法で盗聴する。

盗聴により両社の担当者や請求に関する詳細が分かったら、まずは請求側（B社側）の担当者になりすまし、支払い側（A社側）に偽の口座を伝え、金銭を振り込ませる。

攻撃者は支払い側の担当者にもなりすまし、確認中なのでもう少し待ってほしいと請求側の担当者に伝える。請求側の担当者が支払い側の担当者に電話などで確認させないようにするためだ。ただ、支払い側の担当者になりすませない場合には、このやりとりは省かれる。

さらに攻撃者は、ほかの請求についても前倒しで支払うよう要求し、より多くの金銭を詐取しようとする。

振込先口座の変更を要求されたら要注意

ビジネスメール詐欺を実施する攻撃者にとって一番重要なポイントは、金銭の振込先を攻撃者の口座に変更させることだ。振込先口座が実際の請求側のままでは、支払い側をいくらだましても意味がない。怪しまれないように振込先口座を変更させる必要がある。例えば、「監査の都合上、口座を一時的に変える必要がある」といって変更させた事例が報告されている。

このことは対策のヒントになる。全く疑いようのない内容のビジネスメールであっても、振込先口座の変更の指示などがあった場合には、必ず電話などで問い合わせるようにすれば、被害を未然に防げる。

だが、この対策も回避する恐ろしい手口が確認された。支払い側と請求側のやりとりに絶妙のタイミングで割り込む手口だ。サイバー情報共有イニシアティブ（J-CSIP）が2019年7月末に公表した。

口座の変更に気づかせない

攻撃者のターゲットになったのは、A社（国内関連企業）と、A社の新規取引先であるB社（海外取引先）。A社が支払い側、B社が請求側になる。

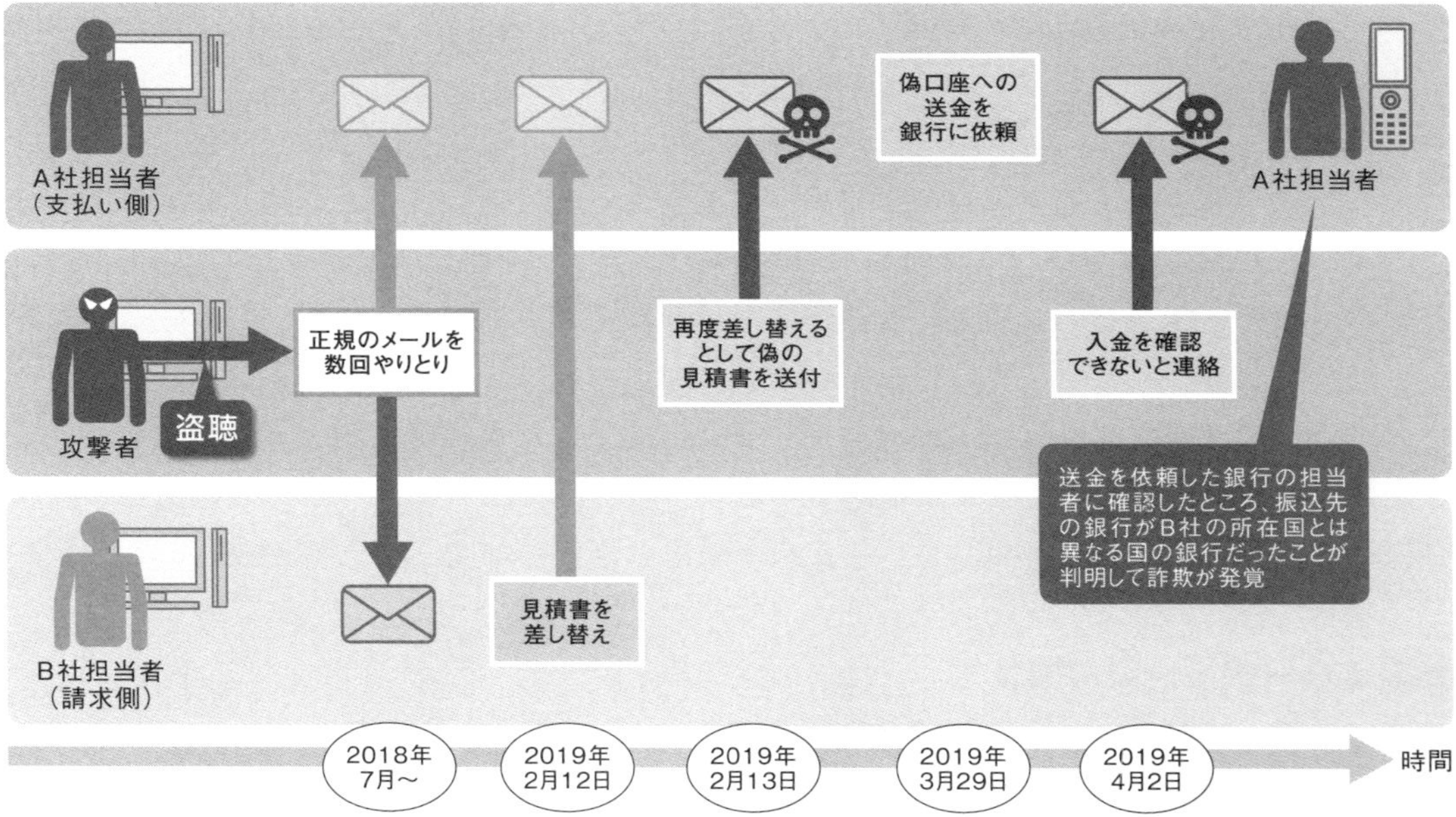

新たに報告されたビジネスメール詐欺の流れ

サイバー情報共有イニシアティブ（J-CSIP）が2019年7月末に公表したビジネスメール詐欺の新手口。J-CSIPの発表資料を基に作成した。

この2社が初めて行う請求と振り込みに関するやりとりに割り込む形で、攻撃者は詐欺を試みた。

攻撃者は、A社とB社のメールのやりとりをしばらく盗聴した。ここまでは通常のビジネスメール詐欺と同じ。異なるのはここからだ。

B社からA社に対して、見積書の差し替えを連絡する本物のメールが送られたときに、攻撃者は初めて動いた。その翌日、攻撃者は見積書を再度差し替えるとして、偽の見積書をメールで送付した。この事例でやりとりされたメールはすべて英文だったという。

メールには「見積書の価格を修正した」と書かれていたものの、メールに添付された偽の見積書では、振込先の口座情報が改変されていた。さらに、攻撃者は「直前に送った見積書を破棄してください」として、本物の見積書を破棄させた。

攻撃者の工夫がてんこ盛り

この手口には巧みな点が複数ある。（1）請求側が見積書を差し替えたタイミングでやりとりに割り込む、（2）「価格を修正した」としながら振込先の口座情報を攻撃者のものに変更した、（3）正規の見積書を破棄させた、（4）新規のやりとりに割り込んだ——の4点だ。

請求側は差し替えの見積書を実際に送っているので、支払い側が「見積書を差し替えましたか」と確認したとしても、攻撃者の存在に気づかない可能性が高い。

また、価格を修正したと言っているので、支払い側は口座情報が変更されていることに気づきにくい。

さらに、正規の見積書を破棄させているので、支払い側の担当者から経理部門へは、改変された見積書しか渡されない。

加えて、新規の取引先であり、過去の実績と比較できないので、経理部門が不審な振り込みだと見抜くことは至難の業だ。実際この事例では、支払い側は偽の口座に指定の金額を振り込んだ。

だが、振り込みを依頼した日本の銀行の担当者とやりとりしている間に不審な点（振込先がB社の所在国とは異なる国の銀行だった）に気づいたため、送金を中止。金銭的な被害には至らなかったという。

J－CSIPの事務局を務める情報処理推進機構（IPA）は、「これまでビジネスメール詐欺対策として、急な振込先口座の変更などを求められた場合には、事実関係を確認するよう注意を促していたが、今回のようなケースではこの対策をしていても見破ることは難しい」としている。

確かに、ここまでやられると詐欺と気づくのは困難だろう。いくつかの条件がそろわないと実現できない手口ではあるが、企業の担当者は「ビジネスメール詐欺はここまで来ている」と認識し、十分注意する必要がある。

5-3 「あなたは訴えられています」法律事務所や裁判所を名乗る詐欺が猛威

セキュリティーベンダーなどによると、2019年5月中旬以降、北米で新たなサイバー攻撃が確認されているという。法律事務所をかたってコンピューターウイルスを添付したメールを送りつける攻撃だ。

一方日本では、裁判所をかたる架空請求が相次いでいる。訴訟や差し押さえなどを執行するといって相手を脅かす。

平和な日々を送っている一般の人には訴訟は縁がないので、「訴えられている」などと脅かされると慌ててしまい、正常な判断ができなくなる。それが詐欺師の狙い目だ。手口を知ってだまされないようにしよう。

添付ファイルにウイルスが潜む

米国などで報告され始めたサイバー攻撃では、偽メールにＷｏｒｄの文書ファイルが添付されている。セキュリティージャーナリストであるブライアン・クレブス氏によれば、メールの文面例は次の通り。

「あなたは市から訴えられている。添付されたファイルを読んで7日以内に返事をしろ。さもないと、我々は次の行動に進まなければならなくなる」といった内容で、最終行には添付ファイルのパスワードが記されている。

メールの送信者名は複数確認されているが、いずれも有名な法律事務所だという。メールに記載されたパスワードを使って添付ファイルを開くと、ファイルに仕込まれたウイルスが動きだし、別のウイルスをダウンロードしてパソコンに感染させる。

海外で流行した手口は必ず日本にも上陸する。ある日突然、弁護士事務所をかたる日本語のメールが送られてくるかもしれない。とにかく、慌てて添付ファイルを開いてはいけない。

心配なら、該当の弁護士事務所に連絡しよう。ただし、メールに記載されている電話番号にかけてはいけない。偽の番号である可能性が高い。連絡先は別の手段で確認する必要がある。

裁判所をかたって架空請求

とはいえ、前述のような偽メールの上陸を待つことなく、日本でも訴訟で脅かす詐欺が幅を利かせている。裁判所をかたる架空請求である。国民生活センターや裁判所、法務省などが注意喚起している。法務省や日本民事保全協会といった団体をかたる場合もある。
架空請求は、はがきや封書、メールなどで送られてくる。電話がかかってくる場合もある。郵便物やメールに書かれている電話番号に連絡をしないと、訴訟や差し押さえなどを執行すると書かれている。そして実際に連絡をすると、訴訟の取り下げ費用などと称して料金を請求される。

裁判所をかたるメールは怪しいメールだと考えてよい。裁判所のＷｅｂサイトには次のように記載されている。

「裁判所から電子メールで、電話による連絡や電子メールへの返信を求めたり、裁判が起こされたことをお知らせすることはありません。また、電子メールで金銭の振り込み

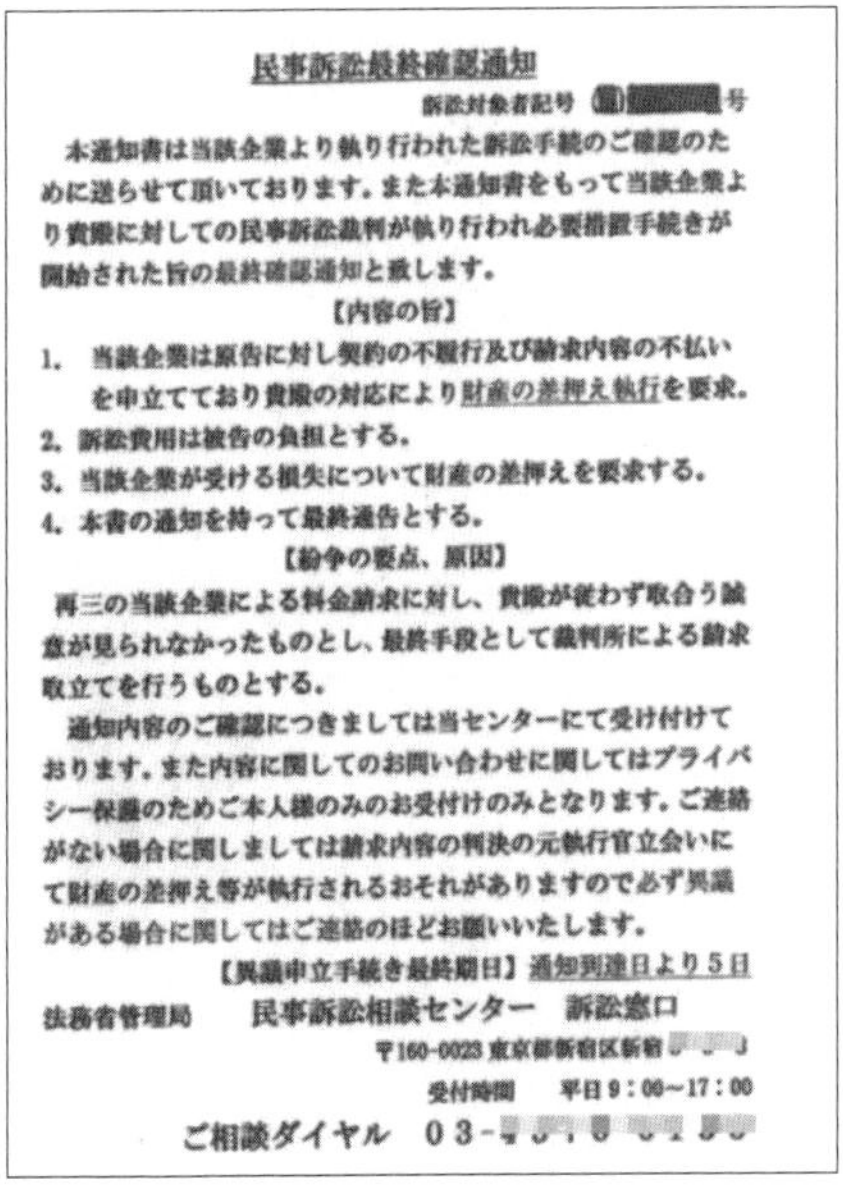

民事訴訟最終確認通知

訴訟対象者記号 [redacted]号

本通知書は当該企業より執り行われた訴訟手続のご確認のために送らせて頂いております。また本通知書をもって当該企業より貴殿に対しての民事訴訟裁判が執り行われ必要措置手続きが開始された旨の最終確認通知と致します。

【内容の旨】

1.　当該企業は原告に対し契約の不履行及び請求内容の不払いを申立てており貴殿の対応により財産の差押え執行を要求。
2. 訴訟費用は被告の負担とする。
3. 当該企業が受ける損失について財産の差押えを要求する。
4. 本書の通知を持って最終通告とする。

【紛争の要点、原因】

再三の当該企業による料金請求に対し、貴殿が従わず取合う誠意が見られなかったものとし、最終手段として裁判所による請求取立てを行うものとする。

通知内容のご確認につきましては当センターにて受け付けております。また内容に関してのお問い合わせに関してはプライバシー保護のためご本人様のみのお受付けのみとなります。ご連絡がない場合に関しましては請求内容の判決の元執行官立会いにて財産の差押え等が執行されるおそれがありますので必ず異議がある場合に関してはご連絡のほどお願いいたします。

【異議申立手続き最終期日】通知到達日より5日

法務省管理局　民事訴訟相談センター　訴訟窓口

〒160-0023 東京都新宿区新宿[redacted]

受付時間　平日9：00～17：00

ご相談ダイヤル　03-[redacted]

法務省をかたる架空請求の例（出所：裁判所）

を求めることもありません」

加えて、裁判所をかたるメールを受信しても、記載された連絡先に連絡したり、金銭を振り込んだりすることのないよう呼びかけている。

郵便物で裁判所をかたる架空請求も相次いでいる。以前ははがきが一般的だったが、最近では封書による架空請求も確認されている。

ただし郵便物の場合には、架空請求ではない可能性もあるので注意が必要だ。法務省では、「本当の裁判所からの支払督促、少額訴訟の呼出状等であるにもかかわらずこれを放置し、何も対応をしなかった場合には、不利益を受けるおそれがあります」と警告している。

国民生活センターでは、「『裁判所からの支払督促』や『少額訴訟の呼出状』と思われる場合は、書類の真偽の判断はむずかしいので、放置せず、すぐに消費生活センターに相談することが重要です。裁判所の管轄地域・連絡先については、裁判所のホームページ内各地の裁判所でも確認することができます」としている。

確認の際に注意すべきは、書類などに記載されている連絡先には絶対に連絡しないこと。これは怪しいメールを受け取った場合と同じだ。別の手段で真偽を確認し、偽物だと判明したら無視すればよい。

5-4 人気ユーチューバーが震え上がる「脅迫メール」悪夢のような内容とは

メールを使ってユーザーを脅し、ビットコインなどの暗号資産を要求するサイバー脅迫が後を絶たない。脅迫メールの内容も様々。「あなたの恥ずかしい姿を盗撮した」と脅すものから「あなたの命を狙っている」まで、よくぞ考えたと思うような内容が多い。

そして今回、また新たなサイバー脅迫が報告された。子どもたちの憧れの的である人気ユーチューバーやブロガーが震え上がるような内容だ。というのも、広告収入に関するものだからだ。

大量のボットでサイトにアクセス

セキュリティージャーナリストであるブライアン・クレブス氏などの報告によれば、新手口の脅迫メールは2020年2月初めに確認されたという。ターゲットは、米グーグルのAdSense（アドセンス）プログラムを通じて広告を配信しているWebサイトの管理者あるいは所有者などだ。

メールは英語で書かれている。タイトルは「Important：Regarding your AdSense account!（重要：AdSenseアカウントについて!）」。

脅迫メールの中で詐欺師は、数千台のボット（ウイルス感染パソコン）を使ってメール受信者が管理するWebサイトにアクセスし、貼られている広告を次々表示すると脅す。広告を表示されるとどうなるか。脅迫メールによれば、一時的には広告収入が増えるものの、不正な手段でアクセス数を増やしているとグーグルに判断され、AdSenseのアカウントを無効にされるというのだ。つまり、広告収入を得られなくなる。

広告収入を当てにしているサイト管理者やコンテンツ配信者にとって死活問題だ。詐欺師は脅迫メールの中で「これはすべてのAdSense配信者にとって悪夢だ（a nightmare for every AdSense publisher）」とあおっている。

さらに、何かの間違いだと申し立てて認められたとしても、アカウントが再び有効になるまでには通常1カ月ほどかかるし、有効になっても再度ボットでアクセスして無効にすると脅している。そして2度目となると、該当のアカウントは永久に無効にされるだろうとしている。

5000ドル払えば無効にしない

ボットを使って不正な広告収入を得ようとする手口は以前から存在する。クリックボットやクリック詐欺などと呼ばれる。例えばセキュリティー組織の米サンズインスティテュートは2006年5月にクリックボットに関する注意を呼びかけている。

このためAdSenseのような広告配信プログラムを提供する事業者はトラフィックを監視。異常なトラフィックを検知すると不正と判断し、広告料の支払いを停止する。脅迫メールに書かれていることは実際に起こり得ることなのだ。

実際グーグルは、ツールやボットを使って広告にアクセスすることを「無効なトラフィック」の1つとしており、それによってAdSenseアカウントが無効になり得るとしている。

今回の脅迫メールでは、AdSenseアカウントを無効にされたくなければ、72時間以内に5000ドル（約54万円）相当のビットコインを支払うよう求めている。5000ドル払えば不正なアクセスをしないことを約束するという。

今のところ、脅迫通りに不正なアクセスを受けたケースはないようだ。このため他の脅迫メールと同じように単なる脅しだと考えられる。

だが多額の広告収入を得ているサイト管理者なら、単なる脅迫だと思っても安心のために5000ドルを支払う可能性がある。

今回の脅迫メールの情報をクレブス氏に提供したサイト管理者も根拠のない脅しだろうと考えたものの、ここ数カ月アカウントの無効数が増えているというAdSenseのリポートや、グーグルが不正トラフィックの取り締まりを強化しているとの記事を読んだことがあり、とても心配しているという。

いくら心配でも払ってしまっては詐欺師の思うつぼ。ぐっとこらえて払わないことが重要だ。

5-5
「ボーナス欲しければクリック」炎上招く標的型メール訓練は本当に役立つのか

新型コロナウイルス禍で急増したテレワーカーを狙うサイバー攻撃が後を絶たない。特に増えているのがメールを使った標的型攻撃やフィッシング詐欺だ。フィッシング詐欺対策の業界団体であるフィッシング対策協議会によると、フィッシング詐欺の報告件数は増加の一途をたどり、2020年12月には過去最多の3万2000件超を記録したという。

テレワーカーのパソコンがコンピューターウイルスなどで乗っ取られると、それを踏み台にして社内ネットワークに侵入される恐れがある。パソコンに保存した業務データを盗まれる危険性もある。企業としては何とか対策を打ちたいところだ。

その1つが、社員のセキュリティー意識を高める「標的型メール訓練」である。多くの企業が実施している。だが、標的型メール訓練には否定的な意見もある。本当に役立つのだろうか。

「この件に関わった人間すべてを解雇しろ」

標的型メール訓練は、標的型攻撃メール訓練やフィッシング模擬訓練などとも呼ばれる。偽の攻撃メールを社員に送ってサイバー攻撃を体験させることで、セキュリティー意識を向上させる訓練だ。

具体的には、業務に関係すると見せかけたメールにリンクを仕込むことが多い。受信者がそのリンクを不用意にクリックすると、訓練であることを明かすＷｅｂサイトに誘導される。リンクが仕込まれたファイルが添付されている場合もある。

リンクには識別用の文字列が含まれているのでクリックした社員を特定できる。クリックした社員には、セキュリティーのトレーニングなどが課せられる場合もある。

コロナ禍で需要が高まる標的型メール訓練だが、米国では「炎上」が報告されている。例えば２０２０年12月、ボーナスを支給しないとしていたある企業の社員に訓練メールが送られてきた。メールには「６５０ドルのボーナスを支給する。受け取りたい人はメール中のリンクをクリックして必要な情報を入力するように」といった内容が書かれていたという。

その通りにしたおよそ５００人の社員は、ボーナスの代わりにセキュリティーのトレーニングが与えられた。このことが明らかになり、その企業は批判にさらされた。

2020年9月にも同様のことがあった。ある新聞社が、5000ドルから1万ドル（約54万円から約110万円）のボーナスを支給するという訓練メールを送ったのだ。喜んでリンクをクリックした社員の目に飛び込んできたのは「おっと！フィッシング模擬テストをクリックしました！（Oops! You clicked on a simulated phishing test !)」という文字だったという。

社員の1人は「この件に関わった人間すべてを解雇しろ」とTwitterに投稿して話題になった。皮肉にも、社員にとって良かれと思って実施した訓練が、社員の憎悪を招くことになったのだ。

標的型メール訓練の有効性についても疑問の声がある。数年前、標的型メール訓練の記事を書くためにセキュリティーの専門家数人に取材した。その際、標的型メール訓練に関して否定的な意見が多く驚いた。

否定的な意見の一つが、いくら訓練しても実際の標的型攻撃は防げないということだった。標的型攻撃のメールは、標的とした企業の複数の社員に送られてくる。そして誰か1人でも開いてしまったらコンピューターウイルスに感染して攻撃者の侵入を許してしまう。

これを防ぐには攻撃メールに仕込まれたリンクのクリック率や添付ファイルの開封率をゼロにする必要があるが、いくら訓練を重ねてもまず無理だという。

結局、社員のセキュリティー意識を高めることには貢献するが、標的型攻撃から企業を守る対策としては費用対効果に優れない。別のセキュリティー対策に投資したほうがよいと聞かされた。

「クリック率」より「報告率」を

だが最近、標的型メール訓練もやり方次第という話を複数の専門家から聞いた。やり方によっては標的型攻撃対策として有用だという。

まず「ボーナス作戦」の何がだめだったのか。それは社員を「落とし穴」に落とそうとしたせいだという。訓練を仕掛ける側としては、その効果を高めようとしてメールの難易度を高めてしまう。見抜きにくくするのだ。「中の人」だとどういった文面が効果的なのかがよく分かる。その一例がボーナス作戦だ。

だがそういった方法では、企業のセキュリティーチームと社員の間に緊張と不信感を生み出すという。訓練メールの難易度を高めすぎないこと、社員を嫌な気持ちにさせないことが重要だ。

また、訓練メールのリンクのクリック率にはこだわらないことも重要だという。リンクをクリックした社員にセキュリティーのトレーニングを課すといった罰を与えると不信感が高まり、実際に怪しいメールを受け取った場合でも報告しなくなるからだ。

クリック率よりも「報告率」を重視すべきだという。訓練を何回実施してもクリック率はゼロにはならない。実際の標的型攻撃においても、社員の誰かがクリックしてしまうことを前提に対策する必要がある。

そこで重要なのが報告率である。クリックした場合でも、すぐに報告することで感染の疑いがあるパソコンをネットワークから切り離すといった対処が可能になる。

通常、訓練は繰り返し実施する。「クリック率をゼロにする」を目標にして、なおかつクリックした社員に罰を与えていると、誤ってクリックした社員は何とか隠そうとして報告に時間がかかる傾向があるという。

それよりも「誤ってクリックするのは仕方がない。それよりも本番に備えて報告率を100％にしよう」としたほうが効果的であり、訓練を実施する側と受ける側の間に禍根も残さない。

筆者も標的型メール訓練はやり方次第で効果が上がると考えている。無意味だとは思わない。だが実施する際には、過去の炎上案件などを参考に十分注意する必要がある。全社一丸とならなければ企業のネットワークは守れない。重要な守り手である社員を嫌な気持ちにしては元も子もない。

5-6 これはだまされる！受信して分かった「不在通知ＳＭＳ」の巧妙さ

次々と編み出されるネット詐欺の新手口。詐欺師は手を替え、品を替え、ユーザーをだまそうとする。その中で、筆者が特に巧みだと感じたのが、不在通知などを装う偽ＳＭＳ（ショートメッセージサービス）である。最近、筆者にも送られてきた。改めて「これはだまされる」と痛感した。

ＳＭＳだから効果的

不在通知ＳＭＳを使う手口として広く知られているのは、佐川急便を名乗る手口だ。「お客様宛にお荷物のお届けにあがりましたが不在の為持ち帰りました。」といった１文とリンクがＳＭＳで送られてくる。メールではなくＳＭＳなのがポイントだ。

ＳＭＳなら電話番号が分かれば送れる。宅配便を送る際には、送り先の電話番号を伝票に書くので、宅配業者からＳＭＳが送られても不思議はない。疑うことなくリンクをクリックしてしまいそうだ。

もし通常のメールで送られてきたら、「知らせた覚えはないのに、なぜメールアドレスを知っているんだ？」と疑問に思い、クリック率が下がるだろう。

偽メールを使って偽サイトに誘導するネット詐欺はフィッシングと呼ばれる。SMSを使った場合もフィッシングの一種だが、メールを使った場合と区別して「スミッシング」と呼ばれることもある。偽の不在通知は、スミッシングにうってつけだといえる。

2018年中、偽SMSを使う手口は、佐川急便を名乗ることがほとんどだった。同社にとってはいい迷惑だっただろう。

佐川急便から日本郵便へ

佐川急便を名乗る手口はテレビや新聞などでも広く報じられた。このため少し前から、別の社名を名乗る手口が出始めた。その1つが、日本郵便を名乗る手口。その偽SMSが、筆者のスマートフォンに送られてきた。

送られてきて実感した。だまされて当然だ、と。予備知識がなければ、疑うことなくリンクをクリックしてしまうだろう。

SMSの内容は、佐川急便を名乗る手口と同様に、不在通知とURLである。URLは「Japan Post（日本郵便）」を連想させる「jppost」にハイフンとアルファベット2文字をつなげたもの。受信時にはアクセスできたが、2019年7月時点でこのURLは無効になっている。

「とうとう自分のところにも送られてきたか」と、なぜか感慨にひたりながらURLのリンクをクリックした。すると、筆者のiPhoneには、Apple IDとパスワードの入力を要求する画面が表示された。

なぜApple IDを入力する必要があるのか。Webページには、「Apple社から送られた製品はセキュリティー許可の認証が必要となります」と書かれている。怪しいこと、この上ない。

ただ、予備知識のない人は、それほど変な画面とは思わないようだ。ちょうど居合わせた知人に見せたところ、「郵便局の口

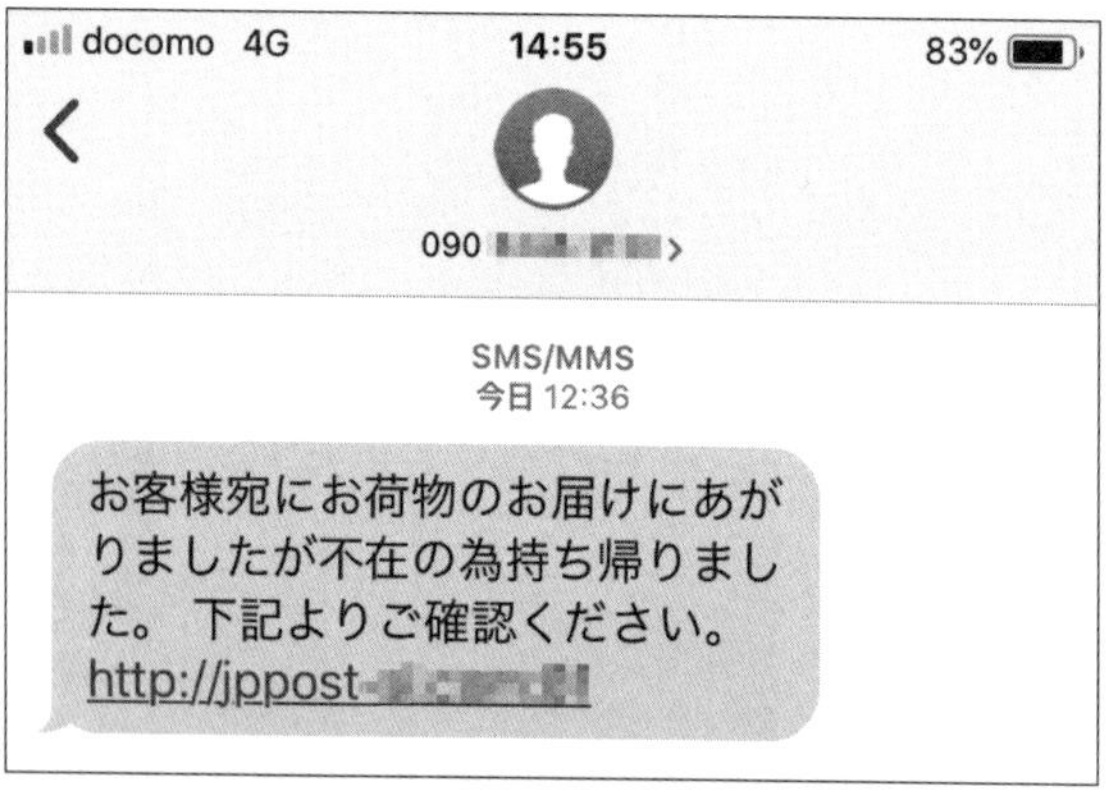

不在通知に見せかけたSMSの例
筆者に送られてきた「不在通知SMS」。URLは「Japan Post（日本郵便）」を連想させる「jppost」にハイフンとアルファベット２文字をつなげた文字列。

ゴが表示されているし、何かおかしいか?」と逆に質問されてしまった。自在にコピーできるロゴ画像だが、人をだます効果は高いようだ。

適当なIDとパスワードを入力して「認証コード送信」ボタンを押すと、「ロード中」という画面に切り替わり、その画面が表示され続ける。この裏では、入力した情報が詐欺師に送信されているのだろう。

その後、再度同じURLにアクセスすると、別の画面が表示された。その画面では、電話番号と認証コードを要求する。

目的は電話番号にひも付くキャリア決済サービスの悪用だ。詐欺師は最初に入力された電話番号をキャリア決済サービスに送信。それに対してキャリアからユーザーに

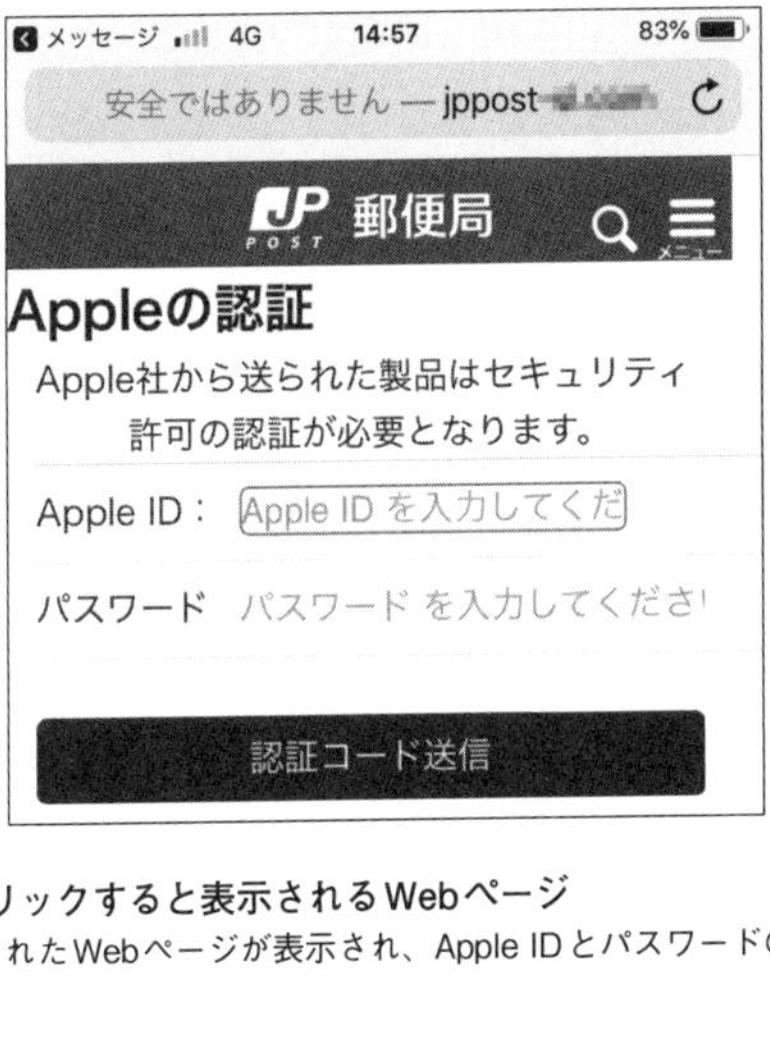

SMSのURLをクリックすると表示されるWebページ
郵便局のロゴが貼られたWebページが表示され、Apple IDとパスワードの入力が求められる。

送られてきた認証コードを、偽サイトに入力させる。
これにより、詐欺師はそのユーザーになりすまして、キャリア決済サービスを悪用できるようになる。

Androidは不正アプリをダウンロードさせる

今回の手口について、日本郵便は2019年5月時点で注意喚起している。iPhoneの場合は筆者が体験したようにApple IDなどの入力画面が表示され、Androidスマホの場合は不正アプリをダウンロードさせる画面が表示されるという。これも、佐川急便を名乗る手口と全く同じだ。

筆者に送られてきたURLにパソコンでアクセスすると、同じような偽ページが表示された。そのページのどこをクリックしても、「jppost.apk」というAndroidアプリがダウンロードされた。また、このWebページをスクロールすると、このAndroidアプリのインストール方法が表示された。

jppost.apkをインストールするとスマートフォンを乗っ取られ、個人情報を盗まれたり、筆者が受け取ったような偽SMSを第三者に送信されたりする。偽SMSの送信元は、現在でも不正アプリに乗っ取られている可能性があるのだ。

偽ＳＭＳの送信元に電話をしてみた

電話番号は表示されているので、すぐにでも電話しようと思った。だが、相手が一体どのような人なのか、全く分からない。

しかも内容が複雑で、口頭で説明することが難しい。ＩＴにあまり詳しくない人なら、何を言われているか分からないだろう。

しばらく考えた結果、ＳＭＳで連絡することにした。具体的には以下のような文章を送った。ＳＭＳは字数制限があるため、適宜、細切れにして送った。

突然のご連絡、失礼いたします。そちらの電話番号「０９０ ＸＸＸＸ ＸＸＸＸ」から、私のスマホに以下のようなＳＭＳが送られてきたため、ご連絡を差し上げました。

「お客様宛にお荷物のお届けにあがりましたが不在のため持ち帰りました。下記よりご連絡ください。http://jppost-（伏せ字）.com:81」

このＳＭＳが届いた7月12日時点では上記アドレスは有効でしたが、現在では無効になっています。以前は、上記ＵＲＬにアクセスすると、日本郵便（郵便局）の偽サイトが表示されました。上記のようなＳＭＳを受信され、Androidスマホをお使いの場合、そちらに不正なアプリがインストールされている可能性があります。

詳細は、以下の日本郵便の発表資料をご覧ください。

「当社の名前を装った迷惑メール及び架空Ｗｅｂサイトにご注意ください。

https://www.post.japanpost.jp/notification/notice/2019/0507_01.html」

リンクをクリックすることが不安な場合には、「日本郵便 迷惑メール」といったキーワードで検索すれば、情報を入手できるかと思います。ご不明な点などございましたら、このＳＭＳの送信元に、ＳＭＳあるいは電話でお問い合わせいただければと思います。

このＳＭＳが怪しいとお感じでしたら、破棄してください。よろしくお願いいたします。


果たして、どのような返事が返ってくるだろうか。期待と不安で送信ボタンを押すと、なんと「送信失敗」の表示。送れなかったのだ。

仕方ない。意を決して電話をかけた。が、こちらも「接続できませんでした」と表示されてつながらなかった。

ネットで調べると、今回のような不正アプリの踏み台にされたユーザーのコメントが載っていた。それによると、偽ＳＭＳを受け取った人は本物のＳＭＳだと思い、送信元には再配達の依頼電話が殺到。そのため、該当の電話番号を変更したという。

連絡を受けたらアプリをアンインストール

もしあなたがAndroidスマホを使っていて、再配達を依頼する連絡や、偽SMSの送信を指摘する連絡を受けた場合、不正アプリをインストールした可能性が高い。その場合には、IPAの情報（https://www.ipa.go.jp/security/anshin/mgdayori20180808.html）などを参考にして、アンインストールしてほしい。

具体的には、まずはスマートフォンを「機内モード」にして通信を無効にしてから、「設定」→「アプリ」→（覚えのないアプリ）→「アンインストール」を実施する。IPAの説明は、佐川急便を名乗る手口の場合だ。「覚えのないアプリ」の名称は手口によって異なる。

なお、これだけ不在通知SMSの手口が広まると、「不在通知SMSを知らせる偽SMS」が出現する危険性もある。

例えばこういったSMSだ。「あなたから偽のSMSが送られてくる。不正アプリがインストールされている可能性があるので、このWebサイトに記載された方法でアンインストールしてください」として、偽サイトに誘導する。不在通知SMSに加えて、このような「不在通知SMSを知らせる偽SMS」にも注意する必要がある。

「提供元不明のアプリ」をインストールしない

こういった手口の踏み台にされないためには、とにもかくにも、Androidスマホのセキュリティー設定で、「提供元不明のアプリ」をオフにすることだ。不在通知SMSで誘導されるWebページでは、ユーザーにインストール方法を示して、「提供元不明のアプリ」のインストールを許可させようとする。

ベンダーによっては、正規のアプリであるにもかかわらず、「提供元不明のアプリ」を許可させてインストールさせようとする。言語道断である。そういったことをさせるから、ユーザーは「提供元不明のアプリ」を許可することが危険だと思わなくなってしまう。

まともなベンダーが提供する正規のアプリであっても、「提供元不明のアプリ」を許可する必要があるものは、インストールすべきではない。

5-7
慣れた人ほど偽通知にだまされるＳＭＳの知られざる恐ろしい仕様

従来、詐欺サイトやコンピューターウイルス配布サイトに誘導する常とう手段はメールだった。だが最近ではスマートフォンの普及を受けて、ＳＭＳを使う手口が急増している。「メールでもＳＭＳでも変わりない。注意していれば大丈夫」と思う人は少なくないだろうが大間違いだ。ＳＭＳには知る人ぞ知る恐ろしい仕様があるからだ。

偽の不在通知が猛威に

２０１８年以降、ＳＭＳの偽メッセージが大きな被害をもたらしている。既に書いたように、ＳＭＳの偽メッセージでユーザーを偽サイトに誘導する手口はＳＭＳフィッシングやスミッシングなどとも呼ばれる。

特に多いのが宅配便の不在通知に見せかける手口である。佐川急便をかたる手口が猛威を振るい、その後ヤマト運輸や日本郵便などを名乗る手口が出現した。

今でもこの手口は盛んに使われている。例えばフィッシング対策の業界団体であるフィッシング対策協議会は2020年7月、フィッシング詐欺サイトに誘導する新たな偽SMSを報告した。コロナ禍で宅配便の利用が増えている現在、不在通知に見せかけるのは効果的だ。

偽の不在通知に限らず、今後もSMSを使った詐欺は次々と出現するだろう。というのも、SMSには恐ろしい仕様があるからだ。正規の企業から送られてきたメッセージの中に、偽のメッセージを紛れ込ませられるのだ。

スマートフォンなどのSMSアプリは同じ相手からのメッセージは同じスレッド（送信者ごとの画面）内に連続して表示する。一見、LINEなどのメッセージアプリと同じようだが、実は大きな違いがある。SMSアプリはメッセージごとに設定される「ある文字列」を基にどのスレッドに表示するのかを決めているのだ。送信元そのものを識別しているわけではない。

この文字列は送信者IDやSender IDなどと呼ばれる。送信者IDが同じなら異なる相手からのメッセージでも同じスレッドに表示される。メッセージアプリでは発生しない現象である。しかも送信者IDは送信者が自由に設定できる。つまり、正規の企業が使っている送信者IDと同じ文字列を設定すれば、偽メッセージをその企業のスレッドに表示させられるのだ。

実際、この方法を使った偽メッセージの被害が発生している。フィッシング対策協議会が公表した例では、送信者IDを「NTT DOCOMO」とすることで、偽メッセージをNTTドコモの公式メッセージに紛れ込ませたという。

偽メッセージ中のURLをクリックするとNTTドコモの偽サイトに誘導され、dアカウントのパスワードやクレジットカード情報などの入力を求められる。このときの偽サイトは既に閉鎖されているが、同様の手口が出現する可能性は高い。

メッセージの中身をよく読む

メールでも送信者の表示を偽装するのは容易だ。SMSの送信者IDと同様に送信者が設定する情報（Fromヘッダー）だからだ。実際、メールを使ったフィッシング詐欺の常とう手段の1つである。

だが、破壊力はSMSの送信者IDのほうが何倍も大きい。前述のように正規メッセージと同じスレッドに送り込めるからだ。メッセージアプリに慣れている人ほどだまされそうだ。

SMSの偽メッセージ対策としては、表示されているスレッドにかかわらず、それぞれのメッセージをきちんと確認することが重要だ。特にURLや電話番号が含まれている場合は最大限の注意を払う必要がある。安易にアクセスしてはいけない。

5-8

iPhone画面がアイコンで埋め尽くされる実は危ない「構成プロファイル」

通常、iPhoneなどのiOSデバイスはApp Store以外からアプリをインストールできない。このためパソコンなどと比べて安全性が高いといわれる。だが油断してはいけない。App Store以外からインストール可能な「構成プロファイル」を使った攻撃が出回っているからだ。ロシアのセキュリティーベンダー、カスペルスキーの日本法人は2020年10月中旬、悪質な構成プロファイルについて改めて注意を呼びかけ、危険な現状を明らかにした。

代表例は日本人が作成

構成プロファイルとはiOSやmacOSなどの設定ファイル。実体はXMLファイルで、Wi-FiやVPN、DNSといった各種設定やデバイスの機能制限、デバイス情報の取得などが可能である。

読み込ませるだけで様々な設定が可能なので広く使われている。携帯電話事業者などがユーザーに配布することが多い。iPhoneユーザーの多くはインストールした経験があるだろう。だが便利な半面、悪用が可能だ。実際、悪質な構成プロファイルが多数出現しているという。

悪質な構成プロファイルの種類は様々。代表例の1つが2016年に確認された「iXintpwn（アイシントポウン）」である。「YJSNPI（ヤジュウセンパイ）」とも呼ばれる。カスペルスキーによれば作成者は日本人だという。iXintpwnはiOSの制限を解除するジェイルブレイク（脱獄）用の構成プロファイルに見せかけて配布される。iXintpwnはインストールされると大量のWebクリップを作成し画面に表示する。Webクリップとはブックマークとして機能するアイコンを指す。

iXintpwnが作成したWebクリップは通常のアイコンとは異なり、簡単には消せない。アイコンを長押ししても×（バツ）マークが表示されないように設定されているためだ。iXintpwn自身も「プロファイルを削除」ボタンを表示しないように設定されているため、設定メニューから削除できない。

アプリの広告を表示して手数料を稼ぐ構成プロファイルもある。いわゆるアドウエアだ。カスペルスキーが挙げた例では、iXintpwnと同様にジェイルブレイクの構成プロファイルに見せかける。インストールするとジェイルブレイクをしているように見せかけるメッセージを表示するが、実際には何もしていない。そしてジェイルブレイク完了のメッセージとともに、特定のアプリをApp Storeからインストールするよう促す広告を表示する。

同社が収集した400以上の構成プロファイルを分析したところ、17・7%は削除できないように設定された構成プロファイルだった。不審なWebクリップを表示する構成プロファイルは実に70・6%だったという。不審なWebクリップの中には、非公式アプリのダウンローダーもあった。構成プロファイルを悪用すれば、ジェイルブレイクしなくてもApp Store以外からアプリをインストールできてしまうという。

悪質な構成プロファイルの被害に遭わないための対策は、配布元が信頼できない構成プロファイルをインストールしないことに尽きる。インストールしてしまった場合は、「設定」→「一般」→「プロファイル」から該当の構成プロファイルを選択し、「プロファイルを削除」をタップして削除する。

ただし前述のように、構成プロファイルによっては「プロファイルを削除」が表示されない。その場合には米アップルが提供する管理ツール「Apple Configurator 2」を使って削除する必要がある。

Apple Configurator 2はmacOS版のみでWindows版はない。手元にMacがなくApple Configurator 2を使えない場合にはiOSデバイスを初期化するしかない。

5-9 iPhoneに「ウイルス感染」の警告を表示 だましの手口を知らず慌てると窮地に

情報セキュリティーに関する相談を受け付けているIPAは2020年10月下旬、2020年第3四半期（7～9月）の相談状況を公表した。それによると、「iPhoneに突然表示される不審なカレンダー通知」に関する相談が前四半期の19件に対して7倍の133件寄せられたという。一体、どんな手口なのだろうか。

攻撃者はスマートフォンを狙う

いまや多くの人がスマートフォンを所有している。総務省の通信利用動向調査によれば、2019年におけるスマートフォンの所有率は67・6％だという。このため攻撃者はスマートフォンを起点にして、ユーザーを攻撃者のWebサイトなどに誘導しようとしている。

現在増えているのが、iPhoneなどのカレンダー機能を悪用する手口である。ユーザーのカレンダーにイベントを登録させることで不審な通知を表示させ、攻撃者のWebサイトに誘導するのだ。

IPAによると、第三者のカレンダーにイベントを登録する手口は2種類あるという。1つはWebサイト経由でカレンダーアカウントを追加させる「アカウント追加型」。もう1つは共有機能や出席依頼機能を使ってイベントやカレンダーを送りつける「イベント・カレンダー共有型」だ。

アカウント追加型では、Webサイトにアクセスした際に表示される画面の「照会」などをユーザーがタップすると、攻撃者が用意したカレンダーが登録されてしまう。イベント・カレンダー共有型では、攻撃者から一方的にイベントやカレンダーが送られる。この手口を使うには、攻撃者はユーザーのApple IDやiCloudのメールアドレスを知っている必要がある。

「iPhoneに突然表示される不審なカレンダー通知」のイメージ
この手口では、iPhoneのカレンダー機能を悪用する。意図しないイベントを登録させることで不審な通知を表示させ、攻撃者のWebサイトなどに誘導する。（画像の出所：IPA）

いずれかの手口で身に覚えのないカレンダーやイベントを登録されると、不審な通知が表示される。イベントのタイトルは「ウイルスに感染している可能性があります」や「iPhoneが保護されていない可能性があります！」といったユーザーを焦らせる文章で、URLも記載されている。

表示されたURLにアクセスすると、セキュリティーソフトと称した不審なアプリをインストールさせようとするWebサイトや、個人情報を入力させようとするフィッシング詐欺サイトなどに誘導される。

身に覚えのない通知が表示されれば、慌てるユーザーは少なくないだろう。何事が起こったのかと思って、ついURLをタップしてしまっても不思議ではない。単純ではあるが、ユーザーをWebサイトに誘導するには効果的な手口といえる。

被害に遭わないための対策としてIPAは「知らない危険を避けることは困難」として、このような手口があると知ることが重要だとしている。手口を知っていれば、身に覚えのない通知が表示されても慌てずに済む。

またアカウント追加型の対策としては、Webサイトでカレンダーに関する表示が出た場合、不用意に「照会」「許可」「承認」「はい」「OK」などはタップせず、「キャンセル」をタップするか、Webブラウザーを閉じるよう呼びかけている。イベント・カレンダー共有型の対策としては、不審なイベントやカレンダーの参加依頼があった場合には「参加」や「欠席」をタップせず、「削除してスパムを報告」を選択する。

そのほか一般的な対策として「ＵＲＬを安易にタップしない」「アプリのインストールは慎重に」「パスワードや認証コードなどを安易に入力しない」を挙げている。

攻撃者はあの手この手でユーザーのスマートフォンを狙ってくる。慌てると攻撃者の術中にはまる。ＩＰＡが警告するように手口を知っておいて、とにかく慌てないことが肝要だ。

5-10 南大西洋に浮かぶ「アセンション島」から謎の電話 その驚くべき正体

2019年9月、筆者のスマートフォンに「アセンション島」から電話がかかってきた。みなさんはアセンション島をご存じだろうか。恥ずかしながら、筆者は今まで知らなかった。アセンション島は南大西洋に浮かぶ、英国領の火山島である。国際電話用の国番号は247、トップレベルドメインはａｃが割り当てられている。

アセンション島を知らなかった筆者は、着信画面を見たときに発信地が表示されているとは思わなかった。iPhoneなどでは、連絡先に登録されている電話番号から着信があった場合には登録名が表示され、登録されていない場合には発信地が表示される。このため、「『アセンション島』っていう店か何かを登録していたかな」と考えた。そうするうちに電話が切れた。

すぐに「アセンション島」とは何かを調べると、南大西洋に浮かぶ島だと分かった。当然のことながら、アセンション島に知り合いはいない。そこで合点がいった。筆者にかかってきた電話は、いわゆる「ワン切り」詐欺だったのだ。

電話網をまひさせたワン切り

ワン切りとは、不特定多数に電話をかけて１～２回呼び出してすぐに切り、着信履歴に残った電話番号にかけさせる手口。例えば、自分が運営する有料番組に電話をかけさせて、相手に情報提供料を支払わせる。

覚えている方も多いと思うが、２００２年に国内でワン切りが大流行した。ワン切りの発信があまりにも多いために、ＮＴＴ西日本では輻輳（ふくそう）が発生し、電話がつながりにくい状態になった。最大で、３分当たり約９５００回の発信があったという。

そこでＮＴＴ東日本やＮＴＴ西日本は約款を変更。ワン切りに使われる回線は契

「アセンション島」からの不在着信

約を解除できるようにした。

実際、NTT西日本は新約款に基づいて、ワン切りに使われた回線を停止した。

社会問題にまでなったワン切りだが、有料番組にかけさせる手口はその後減っていった。

国際電話をかけさせる理由

代わって増え始めたのが、国際電話を使ったワン切りだ。着信履歴に残った海外の電話番号にユーザーが発信すると、多額の国際電話料金を請求されてしまう。

国際電話料金は電話会社に支払うので、詐欺師にはメリットがないように思える。ところがそうではない。NTTドコモの情報によると、海外の電話会社と詐欺師が結

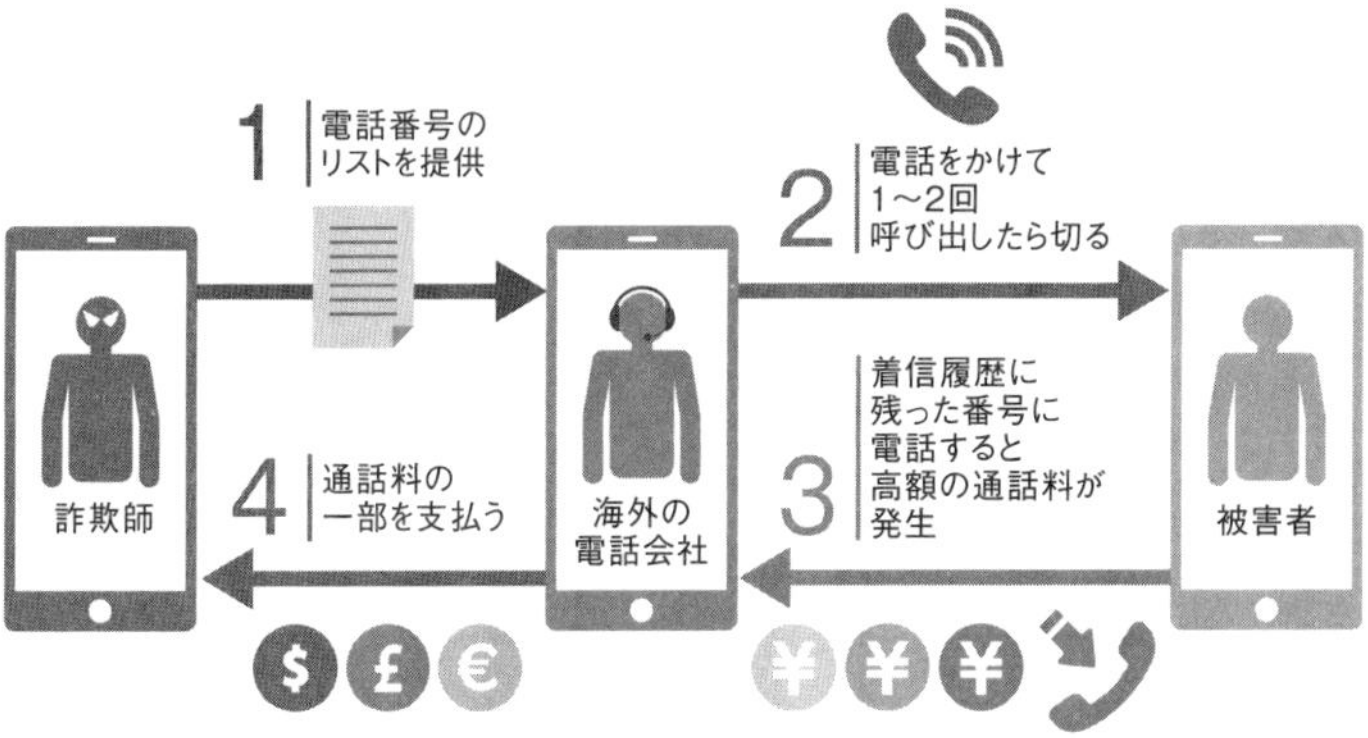

海外からかかってくるワン切り詐欺の流れ

詐欺師は、ターゲットとする日本国内の電話番号のリストを海外の電話会社などに提供する。海外の電話会社はその電話番号にワン切り。そして折り返しでかかってきた電話の通話料の一部を詐欺師に支払う。

託している可能性があるというのだ。

詐欺師は、ターゲットとする日本国内の電話番号のリストを海外の電話会社などに提供する。海外の電話会社はその電話番号にワン切り。そして折り返しでかかってきた電話の通話料の一部を詐欺師に支払う仕組みになっている可能性がある。

推測の域を出ないものの、確かにこの仕組みなら国際電話をかけさせるだけで詐欺師のもうけになる。

近年では、パプアニューギニアからのワン切り詐欺が話題になった。パプアニューギニアの国番号は「675」。相次ぐ不審な電話に対して、国内の電話会社各社は注意を呼びかけた。

その後、トンガやカメルーン、チュニジ

年	発信国・地域	国番号
2017	パプアニューギニア	675
2018	カメルーン	237
	ラトビア	371
	チュニジア	216
	トーゴ	228
	バヌアツ	678
	カメルーン	237
	セイシェル	248
2019	コートジボワール	225
	イエメン	967
	セルビア	381
	アセンション島	247

ワン切り詐欺の発信国

NTTドコモなどの情報を基に作成。公表日が古い順で並べた。

アなど、様々な国から詐欺狙いと思われるワン切りが相次いだ。そして2019年以降にはやったのが、冒頭で紹介したアセンション島からのワン切り詐欺だ。手口は同じだが、発信国を次々と変えることで摘発を免れているように見える。

さて、ワン切り詐欺に折り返すとどうなるのだろうか。ネットなどの情報によると、しばらく沈黙が続いた後、外国語で話しかけられたり音楽が流れたりするという。そして「何だろう、これは」などと不思議がって電話を切らないでいると、料金が加算されていく。

アセンション島に携帯電話で折り返した場合の料金は電話会社によって異なる。例えばNTTドコモは平日昼間が30秒当たり180円、それ以外が30秒当たり120円。auは30秒で85円、ソフトバンクは30秒当たり199円である（2019年10月時点）。

ワン切り詐欺に遭わないためには、とにかく見知らぬ番号からの電話には折り返さないこと。特に、海外からの電話は要注意。ワン切りの発信国は一定期間ごとに変わっているので、アセンション島以外からの電話にも用心してほしい。

5-11

5億人に影響？老舗ソフトに19年間見つからなかった脆弱性

ソフトウエアの脆弱性（セキュリティー上の欠陥）が毎日のように見つかっている。例えば、脆弱性の情報のデータベースである「JVN iPedia」には、2019年3月の1カ月で21件の脆弱性が登録された。

ただ、危険度が低い、あるいは該当ソフトウエアのユーザーが少ないなどの理由から、ほとんどの脆弱性はそれほど注目されない。

しかしながら、2019年2月に公表されたWinRARの脆弱性は別だった。19年間発見されず、5億人以上が影響を受けるとされたからだ。

スタートアップフォルダーにウイルスを作成

WinRARは、25年以上も使われてきた老舗の解凍ソフトだ。バージョン1は1995年に公開された。ここで取り上げるWinRARの脆弱性を公表したのは、イスラエルのセキュリティーベンダーであるチェック・ポイント・ソフトウェア・テクノロジーズだ。

今回の脆弱性は、WinRARに含まれる「unacev2.dll」というライブラリーに見つかった。unacev2.dllは、ACE形式と呼ばれる圧縮形式のファイルを処理するためのライブラリー。パストラバーサルと呼ばれる種類の脆弱性で、細工が施されたACE形式のファイルを解凍処理すると、任意の場所に任意のファイルを作成されてしまう。

例えば攻撃者は、コンピューターウイルスをスタートアップフォルダーに作成させることが可能になる。この場合、次回パソコンを起動した際に、ウイルスが実行される。

通常、ACE形式のファイルの拡張子は「ace」だが、WinRARの場合は、拡張子が「rar」であっても、中身がACE形式の場合には、今回問題になっているunacev2.dllを使って解凍する。拡張子がrarなので、RAR形式の圧縮ファイルだと思ってWinRARで処理すると、unacev2.dllで解凍される。

この攻撃の恐ろしいところは、任意のウイルスを使用できるということ。基本的な仕掛けさえ作れば、攻撃者は手を替え、品を替え悪用できる。

1週間で100種類以上の悪用

実際、米マカフィーは、脆弱性が公表されてから1週間で、100種類を超えるエクスプロイト（脆弱性を悪用するプログラム）を確認したという。2019年3月中旬、同社が公式ブログで明らかにした。

その一つが、有名アーティストの最新アルバムに見せかけた圧縮ファイルである。拡張子はｒａｒだ。

脆弱性のあるWinRARでこのファイルを解凍すると、無害の音楽ファイル（ＭＰ３）が作成される。

それと同時にスタートアップフォルダーにウイルスファイルが作成される。このとき、Windowsのセキュリティー機構であるＵＡＣは適用されないため、警告などは表示されないという。次にパソコンを起動した際に、このウイルスが自動的に実行される。

さらに恐ろしいのは、脆弱性の影響を受けるユーザーが多いことだ。冒頭に書いたように、チェック・ポイント・ソフトウェア・テクノロジーズは5億人以上が影響を受けるとしている。

ただ、WinRARユーザーが5億人以上いるというのは、WinRARのベンダーだけが言っている宣伝文句。額面通りには受け取れないかもしれない。

とはいえ、ユーザー数が多いのは確かだ。チェック・ポイント・ソフトウェア・テクノロジーズによると、脆弱性のあるunacev2.dllは19年以上前からWinRARに含まれているという。

技術の進化が古い脆弱性を見つける

なぜ19年以上も見つからなかったのか。技術の進歩により、今まで見逃されていた脆弱性が見つかったのではないかと筆者は考えている。

今回の脆弱性は、ファジングという手法で発見された。ファジングとは、調査対象のソフトウエアに、「ファザー」と呼ばれるツールを使って様々なデータを入力し、その応答から脆弱性を探し出す手法。

脆弱性の多くは、ソフトウエアに想定外のデータが入力された場合に露呈する。そこでファジングでは、開発者が想定していないような、非常に長い文字列や非常に大きい値／小さい値、負の値などを次々とソフトウエアに入力する。

異常な結果を返したり、ソフトウエアが異常終了したりした場合には、その処理した箇所に、脆弱性が存在する可能性が高い。

想定外のデータを入力して脆弱性を探す「ファジング」

チェック・ポイント・ソフトウェア・テクノロジーズが使ったのは「ＷｉｎＡＦＬファザー」というツールだという。ファザーの性能や脆弱性を見つけるテクニックの向上により、今まで見過ごされていた脆弱性が見つかったのだと思う。

十分枯れていると思われたWinRARに致命的な脆弱性が見つかった。脆弱性を見つける技術は向上する一方だ。WinRARに限らず、枯れたと思っていたソフトウエアに長年潜んでいた脆弱性が見つかる可能性は高い。油断は禁物だ。

この脆弱性はバージョン5・70で修正済み。ACE形式をサポート対象外にした。日本語版についても修正したバージョン5・70が公開されている。

WinRARと同様に広く使われている圧縮解凍ソフト「Lhaplus（ラプラス）」にも同様の脆弱性がありそうだ。こちらについては、修正版は公開されていないもよう。詳細は不明だが、とにかく怪しい圧縮ファイルは解凍しないことが重要だ。

5-12 IEにパッチ未公開の危険な脆弱性が見つかったでも騒がれない「悲しい理由」

米マイクロソフトは2020年1月中旬、同社のWebブラウザー「Internet Explorer（IE）」に危険な脆弱性が見つかったことを明らかにした。細工が施されたWebサイトにアクセスするだけでコンピューターウイルスに感染する恐れなどがある。実際、脆弱性を悪用する攻撃が国内外で確認されている。

しかもしばらくの間、修正プログラム（パッチ）が公開されなかった。米国土安全保障省などは、パッチが公開されるまでは別のWebブラウザーを使うよう注意を呼びかけていた。

これだけ悪条件がそろったIEの脆弱性が公表されたら、一昔前なら大騒ぎだ。実際、似たような脆弱性が公表された2014年にはテレビなども取り上げて騒動になった。だが今回は悲しいほど騒がれない。なぜか。ユーザーが少ないからだ。

調査会社の米スタットカウンターによると、日本国内では7・41％と善戦しているが、全世界ではわずか1・68％（2020年2月時点）。全盛期を知る人間からすると寂しい限りである。

スタットカウンターの最も古いデータである2009年1月のデータでは、IEのシェアは64・97%。そこから右肩下がりでシェアを減らしていったのだ。

Webブラウザーは狙われる

IEはWebブラウザー市場の覇者となって以来、サイバー攻撃者に狙われ続けた。Webブラウザーは攻撃しやすいからだ。Webブラウザーに脆弱性があると、細工を施したWebサイトにユーザーを誘導するだけでウイルスに感染させることなどが可能になる。

古いところでは、2001年9月に出現したNimda（ニムダ）ウイルスが衝撃的だった。Nimdaは IEの脆弱性を突いて、世界中で感染を広げた。

攻撃者はIEの脆弱性を執拗に探し、マイクロソフトは修正を急ぐ。このいたちごっこが果てしなく繰り返された。

攻撃者が先に見つけた脆弱性が悪用されることも少なくない。その場合、マイクロソフトはパッチがない状況でも脆弱性があることを公表して、設定変更などの回避策を提示。パッチが完成次第、緊急リリースした。

回避策には、パッチが公表されるまではＩＥを使わないことも含まれる。マイクロソフト自身が声高に言うことは少ないが、セキュリティー組織は必ずと言っていいほど「パッチが公表されるまでは代替製品を使う」ことを回避策の１つとして挙げてきた。

もちろんこれはＩＥに限った話ではない。どのソフトウエア製品であっても同じだ。ほかの製品の注意喚起であっても同様の記述は含まれる。ＩＥの場合、圧倒的シェアを誇っていたために目立っただけだ。

「IEを起動するだけで危ない」のデマ

ところが「パッチが公表されるまでは代替製品を使う」という当たり前の対策が誤解され、２０１４年５月に騒ぎになった。

このときの状況は２０２０年１月中旬と酷似している。細工が施されたＷｅｂサイトにアクセスするだけでウイルスに感染する脆弱性で、パッチの公開前に悪用した攻撃が確認された。

マイクロソフトはパッチの作成を急ぐ一方で、回避策をまとめたＷｅｂサイトを用意して注意喚起に努めた。

様々なセキュリティー組織も従来同様の注意喚起を出した。米国土安全保障省も注意喚起の中で「回避策を実施できない場合にはＩＥを使わない」との常とう句を盛り込んだ。これがこのときに限って誤った形で独り歩きした。「回避策を実施できない場合には」という前提が抜け落ちて、「米国土安全保障省はＩＥを使うなと警告した」と一部で報道されたのだ。

さらにこれがヒートアップして「ＩＥを起動するだけで危ない」となり、最終的には「インターネットを使うとウイルスに感染する」と誤解したユーザーもいたという。

ちなみのこの頃のＩＥのシェアはワールドワイドで米グーグルのChromeに抜かれて2位に転落したものの、日本国内では27・96％で首位を守っていた。だからこそ、あれだけ話題になったのだろう。

ＩＥの脆弱性に関する記事を筆者は１００本以上書いていると思う。だがＩＥの置かれた立場を考えると、この記事が最後になりそうだ。

第6章 パスワードの罠

6-1

パスワードの142個に1つは「123456」 10億件の流出データで分かった危険な現状

パスワードとして世の中で一番使われている文字列は何だろうか。「password」と思った人、惜しい。10年ぐらい前なら正解だ。キーボードの並び順から「qwerty」と答えた人、なかなかいいセンス。だがこちらも不正解。

正解は「123456」である。10億件の流出パスワードを解析したところ、142個に1つは123456だったという。誰かのパスワードを破りたかったら、まずは123456を入力することをお勧めする。パスワードを破られたくない人は、絶対に123456を設定してはいけない。

透明性の高い調査結果

みんながどのようなパスワードを使っているのかは気になるところだ。とはいえ「あなたはどんなパスワードを使っていますか?」とアンケート調査をしたところで答えてもらえるはずがない。

順位	2011年	2012年	2013年	2014年	2015年
1	password	password	123456	123456	123456
2	123456	123456	password	password	password
3	12345678	12345678	12345678	12345	12345678
4	qwerty	abc123	qwerty	12345678	qwerty
5	abc123	qwerty	abc123	qwerty	12345
6	monkey	monkey	123456789	123456789	123456789
7	1234567	letmein	111111	1234	football
8	letmein	dragon	1234567	baseball	1234
9	trustno1	111111	iloveyou	dragon	1234567
10	dragon	baseball	adobe123	football	baseball

順位	2016年	2017年	2018年	2019年
1	123456	123456	123456	123456
2	password	password	password	123456789
3	12345	12345678	123456789	qwerty
4	12345678	qwerty	12345678	password
5	football	12345	12345	1234567
6	qwerty	123456789	111111	12345678
7	1234567890	letmein	1234567	12345
8	1234567	1234567	sunshine	iloveyou
9	princess	football	qwerty	111111
10	1234	iloveyou	iloveyou	123123

セキュリティー企業は広く使われているパスワードのランキングを発表
いくつかのセキュリティー企業は、インターネットに流出したデータを基に広く使われているパスワードのランキングを発表している。表は米スプラッシュデータの発表例。

そこで以前から、セキュリティー企業などはインターネットに流出したパスワードを分析することで、パスワードとしてよく使われる文字列を調べている。

例えばパスワード管理ソフトなどを手がける米スプラッシュデータは調査結果を毎年公表している。それによると2013年から2019年まで7年連続で123456が最も多かったという。同社は2011年から公表しており、2011年と2012年はpasswordが首位だった。

2020年6月に、トルコの中東工科大学の学生であるアタ・ハクシル氏も同様の調査を実施し、結果を公表した。この調査の大きな特徴は、基にしたデータや調査手法、解析結果のほとんどをGitHubで公開していることだ。

10億件の流出パスワードを調査したこのリポートによると、最も多かった文字列はやはり123456だったという。同氏の調査はランキングだけでなく様々な結果を具体的に示しているのでとても興味深い。

まず123456はどの程度多いのか。全パスワードの0・722%であり、10億件当たり700万件以上を占める。前述のようにパスワードを142個持ってくると、そのうち1つは123456になる計算だ。

辞書攻撃で簡単に破られる

「自分は123456を使っていないから大丈夫」などとのんきに構えてはいけない。今回の調査では、ユーザーが設定するパスワードには偏りがあることも判明した。よく使われるパスワードを使っていると、123456と同様に簡単に破られる恐れがある。

今回の調査対象であるパスワード10億件には1億6891万9919種類のパスワードが含まれていた。だが出現頻度が高かった上位1000パスワードだけで、全パスワードの6・607％を占めた。

さらに上位100万パスワードは全パスワードの36・28％、上位1000万パスワードだと全パスワードの過半数である

順位	パスワード	順位	パスワード	順位	パスワード
1	123456	11	1234567	21	yuantuo2012
2	123456789	12	abc123	22	654321
3	password	13	1q2w3e4r5t	23	qwerty123
4	qwerty	14	q1w2e3r4t5y6	24	1qaz2wsx3edc
5	12345678	15	iloveyou	25	password1
6	12345	16	123	26	1qaz2wsx
7	123123	17	0	27	666666
8	111111	18	123321	28	dragon
9	1234	19	1q2w3e4r	29	ashley
10	1234567890	20	qwertyuiop	30	princess

今回発表されたランキング上位30件のパスワード

ハクシル氏は上位100万件のパスワードのリストを公表している。そのうちの上位30件を抜粋した。

54・00％に達する。ハクシル氏は上位1000万パスワードのリストを公開している。このリストを使って辞書攻撃を仕掛ければ結構な確率でパスワードを破れそうだ。

複雑なのに何度も見つかる「謎のパスワード」

そのほか、以下のような結果も得られたとしている。

- 全パスワードの平均の長さは9・4822文字
- 全パスワードの12・04％に記号が含まれている
- 全パスワードの28・79％は文字のみ
- 全パスワードの26・16％は小文字のみ
- 全パスワードの13・37％は数字のみ
- 数字で終わるパスワードは34・41％、数字で始まるパスワードは4・522％

また、全パスワードの中で1個しか見つからなかったユニークなパスワードは8・83％だったという。意味を持たない文字列はわずかだったというので、ほとんどは意味のある文字列（文章）だったようだ。

76万3000種類の「謎のパスワード」も見つかったとしている。それらはいずれもきっちり10文字で記号は含まないが、大文字と小文字、数字を含む複雑なパスワードだ。キーボードの配列や意味のある単語も含んでいない。にもかかわらず、それらのパスワードのいくつかは同一のものが10個ほど存在したとしている。

ハクシル氏は理由が分からないとしながらも、パスワード管理ソフトが原因の可能性があるとしている。パスワード管理ソフトによっては同じ文字列を生成してしまっているかもしれないという。

6-2

パスワード付きファイルの何が問題なのか
今こそ「PPAP」との決別を

パスワード付きファイルが話題だ。

ここでのパスワード付きファイルとは、パスワードを付けてZIP形式などで暗号化および圧縮したファイルのこと。パスワード付きファイルそのものには問題はない。そのファイルをメールに添付して送り、パスワードを別のメールで送ることが問題視されている。

平井卓也デジタル改革担当大臣は2020年11月17日、中央省庁においてパスワード付きファイルのメール送信を廃止する方針であることを明らかにした。

また、クラウド会計ソフトなどを手がけるfreeeは11月18日、メールによるパスワード付きファイルの受信を12月1日から原則廃止すると発表した。

一見安全そうなパスワード付きファイルとパスワードのメール送信。実際、多くの組織が実施している。

だが多くの専門家が、以前から問題があると指摘している。何が問題といわれているのか。改めてまとめた。

ウイルス感染拡大の一因に

「文書ファイルなどをパスワード付きZIPファイルにしてメールで送り、パスワードを別のメールで送信する暗号化の手順（プロトコル）」は「PPAP」と略される。ヒット曲「ペンパイナッポーアッポーペン（Pen-Pineapple-Apple-Pen）」の略称にかけた造語で、具体的には以下の略とされる。

Password付きZIP暗号化ファイルを送ります
Passwordを送ります
Aん号化（暗号化）
Protocol

命名したのは、日本情報経済社会推進協会（JIPDEC）を経て「PPAP総研」を設立した大泰司章氏である。

PPAPの問題点としては以下が挙げられる。

・コンピューターウイルス攻撃に悪用される
・受信者の作業負荷を高める

順に説明しよう。

セキュリティーの観点からは、ゲートウエイやメールサーバーのウイルスチェックを回避される点が挙げられる。暗号化されているために、圧縮ファイルの中にウイルスが含まれていても検知できない。

セキュリティー製品によっては、パスワードで暗号化圧縮されたウイルスを検出できる場合がある。ただしその場合も、ウイルスその

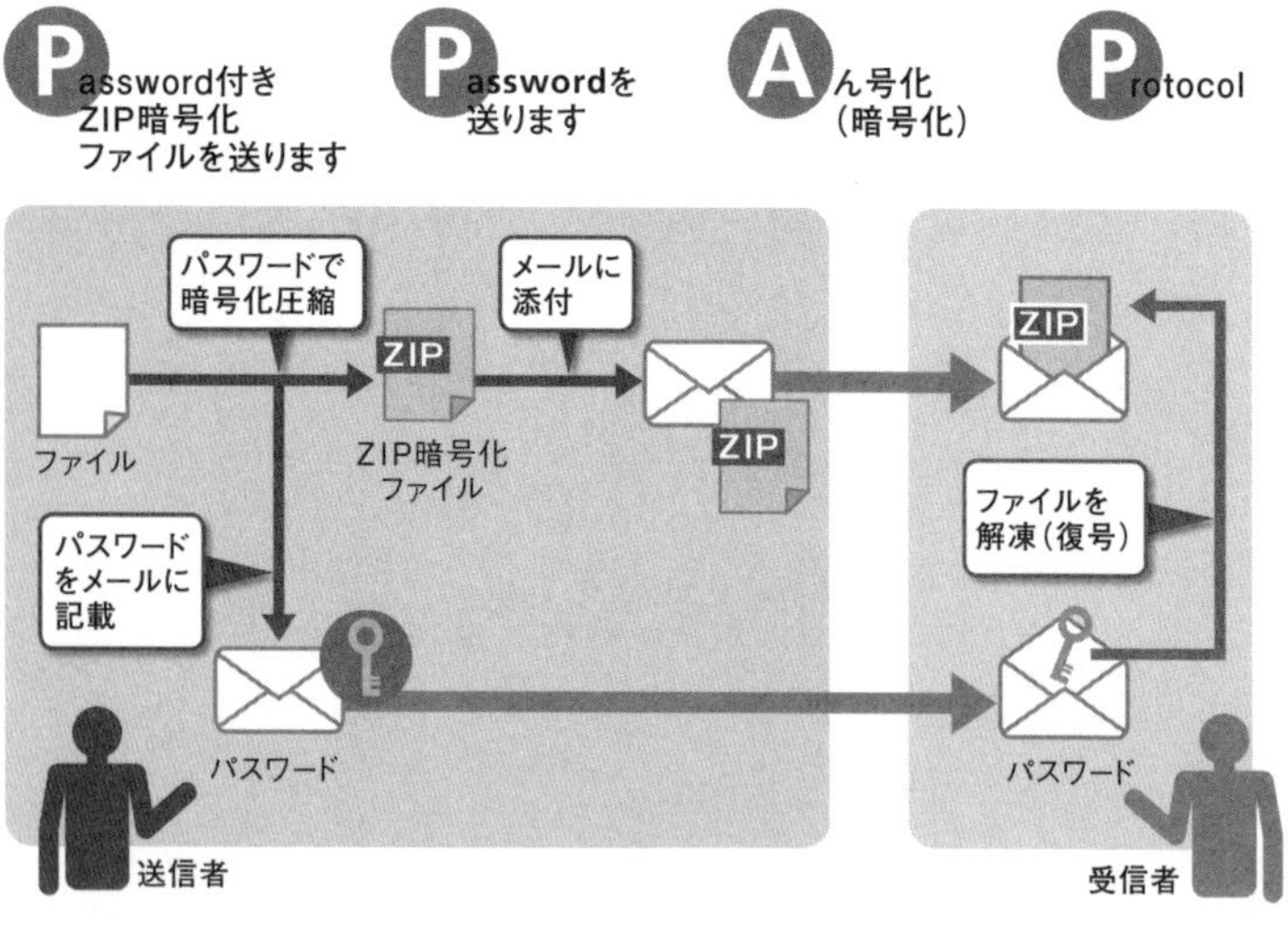

多くの企業が採用している「PPAP」
パスワード付きZIP暗号ファイルとパスワードをメールで別送する暗号化手順（プロトコル）は、ヒット曲「ペンパイナッポーアッポーペン」の略称にかけて「PPAP」と呼ばれる。

ものを復号しているのではなく、暗号化されていない情報から怪しいファイルかどうかを判断しているようだ。

ウイルスをパスワード付きZIPで圧縮して検出を回避する手口は以前から存在する。だが最近は特に目立つ。

PPAPが当たり前になっていると、パスワード付きファイルを疑うことなく開いてしまう。このためPPAPをやめることはウイルス対策の一つとして有効だ。

受信者の作業負荷を高めるという指摘もある。パスワード付きファイルを受け取った受信者は、当然のことながらパスワードを手入力してファイルを開く必要がある。組織によってはファイルの重要度にかかわらず暗号化するので、重要度の低いファイルについてもこの手間が発生する。パスワードが記載されたメールを探すのに時間がかかる場合もある。

同じ相手から複数のメールが送られてきた場合には、どの添付ファイルがどのパスワードに対応しているのか迷うこともあるだろう。

とはいえ、どのような方法を採用しても手間やコストはかかる。PPAPに限った話ではない。

ＰＰＡＰにメリットはあるのか

ＰＰＡＰのデメリットを列挙したが、どのようなセキュリティー対策もデメリットはある。メリットばかりのセキュリティー対策など存在しない。デメリットがあってもそれを上回るメリットがあれば採用する価値はある。ＰＰＡＰのメリットとしては次の３点が挙げられる。

- 誤送信対策
- 盗聴防止
- 使いやすくて分かりやすい

よくいわれるのが誤送信対策である。ＰＰＡＰならファイル添付メールとパスワード記載メールの両方を入手しないとファイルを復元できない。このためどちらか1通を誤送信しても情報は流出しないという説だ。

だが、こういったケースはまれではないかというのが、ＰＰＡＰ否定派の意見だ。添付ファイルを自動的に暗号化し、そのパスワードを別のメールで自動送信するＰＰＡＰ対応製品が多くの組織で利用されているからだ。この場合メールアドレスを間違えたら、そのメールアドレスに両方のメールが送られることになる。

手入力の場合には、どちらか一方を誤送信する可能性がある。ただ、それほど多いとは考えにくい。手入力でも、間違えるときには両方同じように間違えることが多いのではないだろうか。

通信経路上の盗聴を防げるというメリットも考えられる。メールは様々な機器を経由して送られるので、TLSなどで保護されていない経路を通る可能性がある。PPAPならデータを暗号化しているので盗聴されても中身を読まれない。

だが、パスワード付きファイルを盗聴されるということは、同じ経路を流れるパスワードも盗聴される可能性が高い。

加えて、現在では通信経路の多くが保護されていること、通信経路を流れるデータを盗聴するのは容易ではないということなども考えれば、PPAP採用の決定打にはなりにくい。また、送信者と受信者の間に割り込む中間者攻撃では、暗号化ファイルとパスワードのいずれも傍受されてしまうので、2つのメールに分けても意味がない。

PPAPのメリットを挙げるたびに揚げ足を取ってきた格好になったが、PPAPで使われている暗号化ZIPには大きなメリットがある。使いやすくて分かりやすいのだ。

過去に登場した暗号化ソリューションは、いずれも何らかの一手間を必要とする。専用ソフトやデジタル証明書などをユーザーがインストールしなければならない。相互運用性も保証されない。同じ環境を用意している者同士でしか暗号化メッセージをやりとりできない。

ところが暗号化ZIPはWindowsなどが標準で対応しているので、一手間をかけなくても復号できる。暗号化する機能（パスワードを設定する機能）は標準では対応していないものの、どのアーカイバー（圧縮・解凍ソフト）も対応しているし相互運用性も高い。また、共有しているパスワードを入力すると復号される点はユーザーにとって分かりやすい。データの取り扱いに気を使っていることを相手に示しやすいともいえる。

どうするかはユーザーの判断

以上のように、PPAPにはメリットとデメリットがある。筆者はPPAP否定派であるために、この記事を読む限りではPPAP肯定派の旗色が悪いように思えるかもしれないが、それでもメリットが勝ると思えば使い続ければよい。

そしてデメリットのほうが大きいと思えばPPAPをやめて別の方法に移行する。候補の一つは、PPAPから「Password を送ります」を取り除く方法だ。

PPAPの問題点はパスワード付きファイルとパスワードの両方をメールで送ってい

る点に尽きる。メール以外の電話やSMSといった手段でパスワードを送るようにすれば、セキュリティーレベルは大幅に向上する。

だが、パスワード付きファイルがメールで送られてきても不思議はないという状況は変わらない。パスワード付きファイルを隠れみのにしたウイルス攻撃は今後も続くことになる。

一昔前はEXEなどの実行形式ファイルをメールで送ることができた。このため実行形式ファイルのウイルスをメールで送りつける攻撃が後を絶たなかった。そこでメールソフトなどは実行形式ファイルなどの危険な種類のファイルを送れないようにしてアタックベクター（攻撃手法）を一つ潰した。

同じように、パスワード付きファイルをメールで送らないことが当たり前になればアタックベクターを減らせると筆者は考えている。PPAPでパスワード付きファイルに注目が集まっている今こそ検討してほしいと思う。

パスワード付きファイルのメール送信を禁止した場合、どうやってファイルをやりとりしたらよいのだろうか。選択肢の一つとしてS/MIMEやPGPによる暗号化メールが挙げられる。

だが、筆者は望み薄だと思う。十数年前には期待した時期があったが、自分で使ってみて、これが主流になるとは思えなかった。とにかく使っている人が少ないし、手間がかかると感じた。もちろん一部では使われ続けるだろうが、ＰＰＡＰの代替になるとは思えない。

現時点での本命はクラウドストレージサービスだろう。受信者を指定できることに加えて、通信経路はＴＬＳで守られている。受信者の指定などを誤った場合には、すぐに共有を無効にできる。

クラウドストレージサービスでは、事業者によるファイルの盗み見を懸念する人がいるだろう。盗み見される可能性は低いと思うが、懸念を払拭できない場合にはパスワード付きファイルにしてアップロードすればよい。この場合は別の経路になるので、メールでパスワードを送っても問題ないだろう。

結局のところ、ＰＰＡＰ問題に解は存在しない。各組織がメリットとデメリットを考慮してＰＰＡＰを続けるのか、それとも別の方法に移行するのかを検討する必要がある。

ただ筆者としては、今回のＰＰＡＰ問題がきっかけとなって、パスワード付きファイルのメール送信がなくなる方向に進むことを祈りたい。

6-3 忘れてしまったパスワード この方法でもしかしたら思い出せるかも

Ｗｅｂサービスなどのユーザー認証に使われているパスワード。「パスワードの使い回しは厳禁」といわれている現状、多くのユーザーは複数のパスワードを利用しているだろう。このため、パスワードの1つや2つ、忘れてしまっても無理はない。そこで今回は、どうしても思い出せない場合の対処方法の1つを紹介しよう。

救済手段がない場合にどうするか

ほとんどのＷｅｂサービスはパスワードを忘れたユーザーのために、「パスワードをお忘れの方へ」といったリンクを用意している。リンクをクリックするとあらかじめ登録したメールアドレスの入力欄が表示される。そこに正しいメールアドレスを入力すると、パスワードをリセットするリンクが記載されたメールが送られてくる。

「秘密の質問と答え」を用意しているＷｅｂサービスもある。秘密の質問に対してユーザーがあらかじめ設定した答えを入力すると、パスワードを再設定できるようになる。

ちなみに「秘密の質問と答え」の仕組みはセキュリティー上の問題がある。SNSなどで調べれば、第三者でも答えが分かる可能性があるからだ。このためIPAなどは十分注意するよう呼びかけている。

だが、こういった救済手段が用意されておらず、パスワードやパスワードのヒントをどこにもメモとして残していない場合、ユーザーは記憶をたどるしかない。そのときに役立つかもしれないのが「expandpass」というプログラムだ。米ウィスコンシン大学のソフトウエア開発者であるフィル・ドファティー氏が開発した。

思い当たる文字列を組み合わせる

みなさんはどうやってパスワードを作っているだろうか。自分になじみがある文字列や数字、任意の記号などを独自に組み合わせて作っているユーザーは多いだろう。少なくとも筆者はそうだ。

そうではないユーザーは今回の記事の対象外になる。例えば「辞書に載っている単語1つをパスワードにしている」や「自分の電話番号の末尾4桁をパスワードにしている」と力強く言えるユーザーは対象外だ。そもそもそういったユーザーは容易に不正アクセスされることはあっても、パスワードを忘れる可能性は小さいだろう。

パスワード管理ソフトウエアなどで生成した疑似乱数をパスワードにしているユーザーも対象外である。ソフトウエアなどの不具合でそういったパスワードが失われた場合の助けにはならない。

対象になるのは、パスワードの作成の際に使った文字列や数字、記号などの要素を何となく覚えているユーザーだ。ドファティー氏もそのために開発したとしている。

後述するexpandpassの公開サイトでは、「expandpassは単純な文字列拡張プログラムである。うろ覚えのパスワードをクラッキングする（破る）のに有用だ」と説明している。著名なセキュリティー研究者であるブルース・シュナイアー氏は自身が発行するメールマガジンCRYPTO-GRAMの２０１９年10月号で「パスワードについて覚えていることを伝えると、パスワードの可能性が高い文字列を生成するプログラム」と評している。

組み合わせ方法はユーザーが指定

expandpassは本当に有用なのか。実際に試してみた。ソースコードはソフトウエア開発プラットフォームであるGitHubに置かれているので、入手してコンパイルした。

expandpassはコマンドラインで実行するプログラム。パスワード作成に使った可能性が高い複数の文字列をテキストファイルに記述してexpandpassに読み込まされると、

expandpassはそれらを組み合わせたパスワード候補を出力する。このテキストファイルは「シードファイル」と呼ばれる。

文字列の組み合わせ方はユーザーが指定する。expandpassが用意する修飾子（演算子）は「i（挿入）」「s（置換）」「d（削除）」「m（スマート置換）」「c（コピー）」の5種類。これらもシードファイルに記述する。修飾子の詳細はGitHubのexpandpass公開ページ（https://github.com/Phildo/expandpass）を参照してほしい。

筆者はあるWebサービスのパスワードを、「特定の文字列」「4桁の数字」「記号」を組み合わせて作成した。実際には覚えているが、ここではうろ覚えになったと仮定してexpandpassを使ってみた。

「特定の文字列と4桁の数字を組み合わせた文字列のどこかに『$』か『%』を挿入したのは覚えているのだが…」といった状況を想定。文字列などは以下だと仮定した（もちろん、実際のパスワード作成に使った文字列とは異なる）。

- 特定の文字列：Nikkei Network（ただし「N」か「n」はうろ覚え）
- 4桁の数字：0123
- 挿入した記号：$か%

以上の条件をexpandpassの書式で表すと図のようになる。

確かにパスワード候補の中には、筆者のパスワードに相当する文字列が出力された。ただ、300を超える候補をすべて入力してみるのは難しいだろう。出力された候補を眺めて、自分の記憶を呼び起こすのが現実的な使い方だ。

イーサリアムで成果

ドファティー氏はexpandpassで確かな成果を上げているという。ブログサイトEngadgetに2019年9月13日に掲載された記事で説明している。成果を上げているのは、暗号資産のイーサリアムのパスワード忘れについてである。

```
(
  <
    { "N" "n" } "ikkei " { "N" "n" } "etwork"
  >
  "0123"
)
[
i1 "$%"
]
```

これをexpandpassで読み込むと、以下のようなパスワード候補が全部で304個表示された。

```
$Nikkei Network0123
(略)
Nikkei netw%ork0123
(略)
0123%nikkei Network
(略)
0%123nikkei network
(略)
```

パスワードを探すための書式

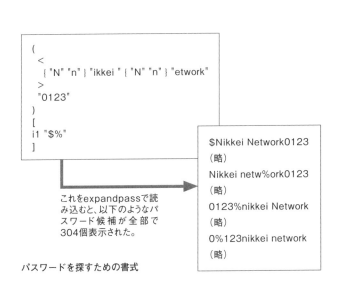

イーサリアムには「パスワードをお忘れの方へ」といったリンクや秘密の質問、サポートセンターなどは用意されていないという。つまりパスワードをリセットできない。パスワードを忘れたり、パスワードのメモを紛失したりすると、自分の暗号資産を使えなくなる。

ドファティー氏はそういった悲しいユーザーを救う仕事をしている。パスワードを忘れたユーザーとメールでやりとりし、パスワードを作る際に使ったと思われる文字列を聞き出す。そしてそれらの文字列をexpandpassで組み合わせてパスワードの候補を作り出す。この仕事は成果報酬型。正しいパスワードを見つけ出すのに成功したら、ユーザーはドファティー氏に報酬を支払う。報酬はイーサリアムで支払うそうだ。

ドファティー氏がこの仕事を始めたのは2017年。掲示板サイトのReddit（レディット）において、イーサリアムのパスワードを忘れたユーザーの投稿を読んだのがきっかけだった。

このとき、ドファティー氏以外に5人のプログラマーも挑戦したが、ドファティー氏が勝利したという。ドファティー氏はexpandpassに加え、総当たりのツールhashcatも使っている。

expandpassを実際に使ってみた感想は「組み合わせ方法の指定などに手間がかかる」

と「生成された文字列を眺めてもパスワードを思い出せるか微妙」といったところだ。だが、思い出す以外に手段がなければ試す価値はあると感じた。にっちもさっちもいかなくなったら、ぜひ試してほしい。

第7章

あなたの心に潜む罠

7-1
「アダルト」にだまされる米ＦＢＩも認めた凶悪ウイルスの怖さ

米ＦＢＩは２０１９年3月末、コンピューターウイルス「Melissa（メリッサ）」の出現から20年が経過したことを公式サイトで公表し、当時を振り返る記事を掲載した。ＦＢＩが特定のウイルスに言及するのは珍しい。それほどまでに、メリッサは衝撃的だった。

第一に新鮮だった。現在と異なり20年前は、一般のユーザーがウイルスになじみがなかった。メールに添付されて送られてくる場合があることも、ほとんど知られていなかった。

そして、とにもかくにも被害が大きかった。

ＦＢＩによると、メリッサが感染を広げるメールによって、世界で３００以上の企業や政府機関のメールサーバーが過負荷になって使用不能になったという。およそ１００万のメールアカウントが影響を受け、推定被害額は８０００万ドルに上った。

メールで感染を広げるウイルスの破壊力を世に知らしめたメリッサは、「アダルト」の誘惑に、多くの人がいかに弱いかも明らかにした。アダルトを餌にしたソーシャルエンジニアリングの先駆けでもあったのだ。

マクロ機能を悪用して拡散

メリッサとはどのようなウイルスだったのか。一言で言うと、Wordの文書ファイルに感染するマクロウイルスである。

現在では、WordなどのMicrosoft Office製品のマクロ機能は初期設定で無効になっている。だが当時は、初期設定で有効だった。このため明示的に無効にしていない場合には、感染しているWord文書を開くだけでメリッサが動き出した。

動き出したメリッサは、Microsoft Office製品の1つであるOutlookを操作して感染を広げる。具体的には、Outlookのアドレス帳に登録されている50件のアドレスに対して、メリッサが感染したWord文書を添付したメールを送信する。

アドレス帳に登録されているアドレスなので、ウイルス感染ファイルを開いた送信者と、メールの受信者は知り合いの可能性が高い。このため受信者の多くは、警戒することなく添付ファイルを開いたとみられる。

これにより、メリッサは瞬く間に感染を拡大した。メリッサには、自身を添付したメールを送信する機能しかなかった。パソコンに保存された情報を破壊したり盗んだりするような機能はない。

だが、メリッサが送信するメールはねずみ算式に増え、冒頭に書いたように、多数の企業・組織のメールサーバーを落とした。

メリッサのように、大量のメールを送信して感染を広げようとするウイルスは「マスメーラー」や「マスメーリング型ウイルス」などと呼ばれる。現在ではよくある手口だが、当時は珍しかった。

最初はどうやってまいたのか?

自動的に感染を広げるメリッサだが、最初はどうやってまかれたのだろうか。

あまり知られていないが、ニュースグループを使って配布された。ニュースグループとは、特定の話題について、ユーザーが記事を投稿したり、閲覧したりできるサービスだ。Web全盛の現在ではほとんど利用されなくなっているが、以前は広く使われていた。

ニュースグループには、議論する話題ごとにグループが用意されている。ウイルス作者が利用したのは、アダルト関連の記事が置かれる「alt.sex」というグループだ。

ウイルス作者は、第三者のISPのアカウントを何らかの方法で乗っ取り、そのユーザーをかたって、メリッサに感染したWord文書をalt.sexに投稿した。

記事には、「投稿したファイルには、有料のアダルトサイトのパスワードが多数掲載されています」と書かれていた。驚くべき数のユーザーが我先にダウンロードした様子が目に浮かぶ。

ダウンロードしたユーザーが該当ファイルを開くとメリッサが起動。パソコンにOutlookがインストールされている場合には、そのパソコンがメールによる感染拡大の起点となった。

前述のように、当時はウイルス自体が一般的な存在ではなかった。ユーザーをだましてウイルスに感染させるなんて、夢にも思わなかっただろう。

現在では、アダルトを餌にしたウイルス配布やネット詐欺は日常茶飯事になり、ユーザーの意識も変わってきている。それでも悲劇は後を絶たない。

例えば、アダルト関連のキーワードで検索して何回かクリックしていれば、必ずと言ってよいほど、架空請求詐欺らしきサイトや、偽セキュリティーソフトらしきものを販売するサイトにたどり着く。

攻撃者はユーザーの「見たい」という心理を突いてくる。「これはぜひ見たい！」と思うリンクに出会ったときほど、警戒する必要がある。

7-2

大手アダルトサイトの広告に罠 標的はサポート切れのIEとFlash

一時代を築いたInternet Explorer（IE）とFlashの引退が迫っている。米マイクロソフトは同社Webサービスにおける IE のサポートを段階的に終了。米アドビは2020年いっぱいでFlashのサポートを完全に終えた。

これらのユーザーは気をつけてほしい。サポート終了の間際や直後を狙った「駆け込み攻撃」が急増しているからだ。しかも舞台は大手アダルトサイト。アダルトサイトで表示される広告に罠が仕掛けられているという。思い当たるユーザーは特に用心したほうがよい。

エクスプロイトキット最後の攻撃

ユーザー数の多さとアーキテクチャーの古さから攻撃者に狙われ続けたIEとFlash。これらの脆弱性を突くツール（エクスプロイト）が多数開発され悪用されてきた。

複数のエクスプロイトを集めたソフトウエアはエクスプロイトキットと呼ばれ、攻撃者が集まるWebサイトなどで販売されている。IEやFlashに脆弱性があると、エクスプロイトキットが仕掛けられたWebサイトにアクセスするだけでコンピューターウイルスがダウンロードされて実行されてしまう。だがIEやFlashのサポートが終了すると、これらのユーザーはほとんどいなくなると考えられる。せっかく入手したエクスプロイトキットは無用の長物になってしまう。

攻撃者は最後の攻撃をかけているようだ。セキュリティー企業の米マルウエアバイトによると広告を悪用し、エクスプロイトキットを仕掛けたWebサイトにユーザーを誘導しているという。いわゆる「マルバタイジング」である。「malicious（悪意のある）」と「advertising（広告）」を組み合わせた造語で、Webサイトに悪質な広告を表示させて悪質サイトに誘導する攻撃、あるいはその悪質な広告を指す。

攻撃者は細工した広告を出稿するだけでよい。Webサイトに侵入する必要がないので、攻撃のハードルは低い。しかも攻撃者のWebサイトではなく正規のWebサイトに罠が表示されるので、「怪しいWebサイトにはアクセスしない」というセキュリティーのセオリーが通用しない。

マルバタイジングは2015年ごろに猛威を振るったものの、近年は下火になってきた。広告配信ネットワークによるチェックの強化などにより、有名サイトに悪質な広告を表示させるのが難しくなったためだ。ところが2020年8月、ある攻撃者グループが超人気サイトに悪質な広告を表示させるのに成功した。そのWebサイトとは、某大手アダルトサイトである。Webの分析サービスなどを手がける英シミラーウェブによると、同サイトは月間で10億人以上がアクセスするという。

同サイトのWebページにアクセスすると、広告に仕込まれたJavaScriptにより攻撃者のWebサイトに誘導される。その1つが、Webデザイン会社になりすました偽サイトだった。IEの脆弱性（識別番号CVE-2019-0752）あるいはFlashの脆弱性（識別番号CVE-2018-15982）があると、クレジットカード情報などを盗むウイルスに感染する。

大手アダルトサイトを狙った今回のマルバタイジングは収まったようだが、今後もIEとFlashを狙った罠が仕掛けられる可能性は高い。

エクスプロイトキットが仕掛けられたWebサイトに誘導されても、IEとFlashの脆弱性を解消していれば被害に遭わない。だが最善の策は、別のWebブラウザーに乗り換えること。Flashもアンインストールすべきだ。社内システムでIEを使い続けなければならない場合には、せめてインターネットアクセスには別のWebブラウザーを使おう。そうすることでマルウエア感染のリスクを軽減できる。

7-3
ネットで不倫相手を探している そんな悪いあなたを攻撃者は探している

「セクストーション」という言葉をご存じだろうか。セックスとエクストーション（脅迫）を合わせた造語で、性的脅迫などと訳されるサイバー犯罪である。

性的な話題に人は弱く、脅迫の材料にはうってつけだ。このためネットにはセクストーションの新手口が次々と現れ、多くの人を地獄に落としている。

2020年6月にも新たな手口が報告された。不倫相手をネットで探すようなよこしまなユーザーがターゲットだ。今のところ海外だけの事例だが、巧妙な手口は必ず日本語版が出現する。対岸の火事ではない。

恥ずかしい姿を撮影したと脅す

セクストーションの常とう手段の1つが、「恥ずかしい写真」で脅す手口だ。ネットで知り合った相手から言葉巧みに恥ずかしい写真や動画を手に入れて、ばらまかれたくなければ金銭を支払うよう脅迫する。大阪府警察の情報によれば、不正なアプリをインストールさせて電話帳データを抜き取ることもあるという。

ここ2～3年で猛威を振るっているセクストーションは、「アダルトサイトを見ているあなたの姿を撮影した。その動画を知人に送られたくなければ、指定額の暗号資産を送れ」とメールで脅す手口だ。

攻撃者はアダルトサイトにウイルスを仕掛けたと主張。そのサイトにアクセスしたユーザー（脅迫メールの受信者）のパソコンにウイルスを感染させて乗っ取ったとしている。そしてパソコンに内蔵されたカメラを使って、アダルトサイトを見ているユーザーの姿を録画したというのだ。

さらに、指定額を期日までに支払わないと、パソコンから盗んだ連絡先にその動画を送ると記載されている。

一見、荒唐無稽にも思えるこのような脅迫を信用させるために、攻撃者はこの脅迫メールの冒頭に、ユーザーが使っている、あるいは以前使っていたメールアドレスとパスワードを記載する。これがポイントだ。

これにより、脅迫メールの送信者をすご腕のハッカー（クラッカー）だと思わせて、パソコンの乗っ取りや連絡先情報の窃取が可能だと思わせようとする。

ただし実際は攻撃者が盗んだものではなく、どこかのWebサービスから漏洩してインターネットで公開されているメールアドレスとパスワードを使っている可能性が高い。この辺りの実態は「1-1　あなたのアカウントは本当に大丈夫？流出データ106億件から探してみよう」や「6-1　パスワードの142個に1つは「123456」10億件の流出データで分かった危険な現状」で詳しく説明している。

当初は英語版だけが出回っていたこの手口だが、成功率が高いためか、日本語版も出現している。

恥ずかしい会話や個人情報を公開

2020年6月中旬、また新たなセクストーションが出現した。セキュリティー組織の米サンズインスティテュートが報告した。舞台はロシア語の出会い系サイトだ。主に既婚者を対象にした「不倫サイト」のようだ。

攻撃者は出会いを求めている若い女性を装って、出会い系サイトに偽のアカウントを作成する。相手を募集すると、当然のように多数のお誘いを受ける。

攻撃者は目ぼしい相手を見つけると接触し、相手の名前や電話番号、住所、性的嗜好などを聞き出す。相手は自発的に話すため、これらの情報収集は「合法」だとサンズインスティテュートの研究者は指摘している。

脅迫できそうな材料が集まったら、それらを出会い系サイトのフォーラム（掲示板）で公開する。個人情報だけではなく会話（書き込み）の内容ややりとりした写真など、一切合切を公にする。そして削除してほしければ指定の金銭を支払うよう要求する。

今回のセクストーションを報告した研究者は、該当のフォーラムを英語に翻訳したスクリーンショットを一部修整したうえで公開している。

単純ではあるが効果的な手口といえるだろう。国内にも多数の出会い系サイトがあることを考えると、日本語版が出現する可能性は高い。あまり表沙汰になっていないだけで既に発生しているかもしれない。

セクストーションの新手口は次々と出現することが予想される。やましいことをできるだけしないことが一番の対策になりそうだ。

7-4
荒唐無稽な脅迫メールの数々出回るのはだまされる人間がいるから

セキュリティー組織の日本サイバー犯罪センター（JC3）は2019年8月、新たな脅迫メールを確認したとして注意を呼びかけた。脅迫メールには受信者を脅かす内容が書かれていて、その内容を実行されたくなければ金銭を支払うよう要求する。

JC3が注意を呼びかけたのは、探偵社の調査員をかたる脅迫メール。件名は「仕事のご健闘を祈り致します」。暗号資産のビットコインで指定の金額を支払わないと、調査で入手した秘密をばらすと書かれている。以下に全文を引用する。

私は某探偵社の調査員と申します。お客様に頼まれ、貴方のことが全面追跡調査を行います。仕事中で貴方が身分があるであることを見つけました。それで貴方が人知れずの一面を了解しました。私にとっていい見つけると思います！

もし私はこの材料を公開したら、絶対貴方にとって悪い影響があります。もしこの資料を貴方に渡したら、私達にとっていいじゃないの。

お客様と社長さんは私に「貴方が貴方の家族はとても大切」だと言いました。貴方は私の要求を満足すればいいんだよ。もちろん、貴方は警察に連絡してもいいんです。でもね、私のノートに貴方の電話と住所を全部書いていますよ。私の指示を操作しないと全部のことをご家族にお知らせしますよ。チャンスは一回しかない、手紙が二度来ないから。

24時間以内に2個つのビットコインを支払ってください

(Bitcoinウォレットアドレス：伏せ字)

Bitcoinをもらってから 私達は世間で知り合ったことを忘れている、これから貴方は何にも危険が無いです。すべて悪い物を隠滅します。

覚えてね、まぐれ心を持ってないでくださいね、チャンスは一回しかないよ。

ご家族の幸せを祈ります！

「もしこの資料を貴方に渡したら、私達にとっていいじゃないの」や「覚えてね、まぐれ心を持ってないでくださいね」など、不自然な文章がいくつも含まれている。

このためネットでは、「雑すぎる」「誰がだまされるんだ」と一部で話題になった。この不自然さは、英語などの別の言語で書かれた文面を機械翻訳した可能性が高い。ただ、しばらく探してみたものの、この脅迫メールの原文とおぼしきものは見つけられなかった。

日本語化されるかもしれない脅迫メールの数々

オリジナルの英語版を機械翻訳した脅迫メールとしては、2018年10月に出現した恥ずかしい姿を撮影したと脅すメールが広く知られている。「7－3ネットで不倫相手を探しているそんな悪いあなたを攻撃者は探している」で解説した脅迫メールだ。

英語圏では、様々な種類の脅迫メールが多数出回っている。それらのいくつかは、前述の脅迫メールと同じように、今後日本語化される可能性が高い。

候補の1つが、「私は暗殺者（ヒットマン）、あなたの命を狙っている」という脅迫メールだ。セキュリティー情報提供サイトのHoax-Slayerによると、2017年7月以降確認されているという。

文面の概要は次の通り。脅迫メールの送信者はヒットマンであり、受信者の命を奪うように頼まれているという。だが、9000ドル（約98万円）払えば見逃してくれるとする。なかなか荒唐無稽である。

この情報を読んだときに既視感があった。それもそのはず、12年以上前にも同じような脅迫メールが出回り、筆者は記事にしていたのだ。

「あなたの職場に爆弾を仕掛けた」と脅す悪質な脅迫メールも出回っている。米シマンテックが2019年7月、公式ブログで報告した。

3億通の迷惑メールで信用を失墜させる

「あなたの会社の評判を落とす」という脅迫メールもある。英ソフォスが2019年6月に注意を呼びかけた。

指定の金額を支払わなければ、受信者の会社名やドメイン名を使って、迷惑メール（スパム）を送りまくるというのだ。具体的には、3億通の迷惑メールを900万のメールアドレスに送信するという。

加えて、書き込みのできる1300万件のWebサイトにアクセスし、受信者の会社名とともに不快なメッセージを残すとする。レビューサイトなどに、受信者の会社をおとしめるような書き込みもするという。

これらの行為によって受信者の会社の信用は失墜し、取り返しのつかないことになるだろうと脅す。デジタル時代ならではは脅迫といえるだろう。

KnowBe4という米国のセキュリティーベンダーは2019年7月、米国の警察官をかたる脅迫メールを警告した。

メールの送信者はテネシー州警察で働いており、捜査の過程で児童ポルノを共有するグループを発見したという。そして、その中の1人がメールの受信者だと主張する。このままだと受信者は逮捕されるが、2000ドル（約22万円）を支払えば証拠を隠滅してくれるという。なぜ警察官がそのようなことを申し出るのか。メールの送信者は来月退職するので、自分のためにお金を稼ぎたいからだというのだ。なかなかすごい理由だ。

以上のような雑な脅迫メールを読むと、「よくこんな内容で脅迫できると思っているな」と笑ってしまう。

ただ、だまされる人がいるから脅迫メールは出回っている。脅迫メールを真に受けて怖がっている人のことを考えると笑ってなどいられない。

脅迫メールが10年以上前からなくならずに送られ続けているのは、だまされる人がいるからだ。そのうちの1人にならないよう、読者ご自身はもちろんのこと、自分の周りの人にも注意するよう呼びかけてほしい。

7-5

10年前と変わらぬ出会い系詐欺「3億円あげる」にだまされる訳

国民生活センターは2020年7月中旬、「当選金を受け取ることができる」などとうたって誘導し、多額のサービス利用料金や手続き費用などを請求する「利益誘引型のサイト」に関する相談が相次いでいるとして注意を呼びかけた。

セキュリティー企業のトレンドマイクロも2020年7月下旬、同様の注意喚起を公表している。国民生活センターやトレンドマイクロの注意喚起を読んで驚いた。10年前と手口が全く変わっていないのだ。それにもかかわらず、だまされる人が後を絶たない。

出会い系風の詐欺サイトが舞台

国民生活センターが「利益誘引型のサイト」としているサイトは、有料の出会い系サイトの体裁を取っていることがほとんどだ。このためトレンドマイクロは「出会い系詐欺サイト」としている。筆者も10年ほど前からこの手口の詐欺を「出会い系詐欺」として注意を呼びかけている。

出会い系詐欺の基本的な手口は10年前と同じ。被害者候補には「金銭を提供する」「会いたい」「もうけ話がある」といったメールが送られてくる。そしてメール中のリンクをクリックすると出会い系詐欺サイトに誘導される。そこで会員登録すると、もっと魅惑的なメッセージが送られてくるようになる。

国民生活センターには、「『政府指定救済金に当選し、3億円を受け取れる』と信じて手続き費用の支払いを続けてしまった」「『話を聞くだけで100万円』を信じて手続き費用を払い続けたが連絡が途絶えた」「SNSで知り合って相談に乗っていた女性にサイトに誘導され、やりとりを続けるためにポイントを購入してしまった」――といった悲痛な相談が寄せられている。ここ数年、毎年3000件を超える相談が全国の消費生活センターや国民生活センターなどに寄せられているという。ただし最近ではSMSメッセージで誘導する手口が増えているようだ。この点だけは10年前と異なる。

積もり積もって多額の被害に

なぜ被害が相次ぐのか。被害が深刻化する理由として、国民生活センターは2010年9月に公表した注意喚起の中で「気づいたときには多額の費用を支払っているため、なんとかお金を回収したいとの心理が働き相手からお金をもらうまでやめられない」ためではないかと推測している。

実際、相談事例でも一度に多額の被害に遭うケースは見当たらない。「多額の金銭を受け取るための手続き費用」などの名目で数千円から数万円を繰り返し要求されるケースがほとんどだ。だが最終的には数十万円から数百万円の被害に遭っている。

「少額だし、だまされたつもりでやってみよう」という気持ちで始める人は少なくないだろう。だがその時点で「だまされたつもり」ではなく実際にだまされているのだ。被害に遭わないためのアドバイスとして、国民生活センターは以下を挙げている。

- 「相談に乗るだけで報酬がもらえる」「自宅で簡単に稼げる」などとうたうサイトに注意しましょう
- メールやメッセージで、「〇〇円が当選した」など簡単にお金をもらえる話をされても返信しないようにしましょう
- やりとりをしている相手を安易に信用せず、冷静に判断するようにしましょう
- トラブルに遭ったと感じた場合は、最寄りの消費生活センター等に相談しましょう

最寄りの消費生活センターは「消費者ホットライン」に電話すると案内してくれる。電

話番号は全国共通3桁の「188」。「いやや！」と覚えてほしいとのことだ。

第8章
未来のAIの罠

8-1

手術の邪魔をして失敗に追い込む「悪魔的」ＡＩウイルスの可能性

人工知能（ＡＩ）を活用するとうたうセキュリティー製品が市場に次々と登場している。セキュリティーベンダーの多くは「ＡＩを使えば今までに防げなかった脅威を検出できる」と口をそろえる。

だがＡＩを使うのは防御側だけでない。攻撃側も使う。その1つが「スマートマルウエア」だ。ここでのスマートマルウエアとは、状況を自分で判断し、最も効果が高いタイミングで攻撃を仕掛けるマルウエアを指す。「ＡＩウイルス」ともいえるだろう。

2019年9月、中国で開催された国際会議において米イリノイ大学の研究者グループは、あるＡＩウイルスのデモに成功したと発表した。

このＡＩウイルスが対象にするのは、遠隔からの手術を可能にする外科手術ロボットである。

ＡＩウイルスは施術中のロボットの動きを学習。最も危ない瞬間を見計らって邪魔をして、手術を失敗に追い込む。ＡＩウイルスの介入は最小限なので、周りからは偶発的な事故にしか見えないという。

発表された論文を基に、この「悪魔的」といえるＡＩウイルスを紹介しよう。

攻撃対象は手術ロボット「Raven-II」

論文が発表されたのは、世界各国で毎年開催されているサイバーセキュリティーの国際会議「ＲＡＩＤ」。ＲＡＩＤとはResearch in Attacks Intrusions and Defensesの略。第22回となる「RAID 2019」は中国で開催された。

様々な攻撃手法や防御手法が発表される中、悪魔的なＡＩウイルスも発表された。このウイルスが対象にするのは、「Raven-II」と呼ばれる手術ロボットである。Robot Operating System（ROS）というオープンソースのプラットフォームで動作する。ＲＯＳは１２５を超えるロボットアプリケーションで使われているという。

このＲＯＳの広く使われているバージョン（ＲＯＳ １）には、送受信するデータを漏洩する脆弱性が見つかっている。今回のウイルスはこの脆弱性を悪用して、手術ロボットと外科医が操作する機器でやりとりされる情報を盗聴する。

つまり、ウイルスは手術ロボットと操作側機器との通信に割って入る「中間者（Man-In-The-Middle）」になる。このためこのウイルスの攻撃は「中間者攻撃」といえる。

やりとりされる情報には手術ロボットの状態に関する情報が含まれるので、それを使ってウイルスは手術ロボットの動きを学習する。

そして、手術ロボットの腕が人体（皮膚）に近づいたタイミングで手術ロボットに改ざんしたデータを送信。手術ロボットの操作をわずかに妨害して人体を傷つけるように仕向ける。

ウイルスがシステムに対して能動的な動作をするのは改ざんデータを送信するときだけ。このため偶発的なトラブルと見なされる可能性が高いという。

可視化ツールでシミュレーション

論文では、実際のロボットを動かすのではなく、ＲＯＳの可視化ツールである「ＲＶＩＺ」を使ってシミュレーションを実施した。実際のロボットを使うと破損する恐れがあるからだ。ただしシミュレーションは正確なので、実験結果は実際の手術ロボットにも適用できるとしている。

さて実験結果である。ＡＩウイルスは機械学習によって手術ロボットの腕の位置をリアルタイムで予測。そして腕が人体に近づいたタイミングで攻撃を発動する。

この実験では、ロボットの腕と人体が１ｃｍ以下になったときに攻撃を発動するように

ＡＩウイルスを設計した。実験の結果、99・９％の割合で人体から７・１ｍｍ以内のときに攻撃を発動できたという。

ロボットが持つ器具は人体を突き抜けた

そしてそのタイミングで改ざんデータをロボットに送信したらどうなるかも示した。シミュレーションの結果、本来は人体のところで止まるべきロボットの腕に付けた器具が、人体を突き抜けてしまった。これが本当の手術だったら一大事である。

論文では、ＡＩウイルスの攻撃を受けないためには、脆弱性のないＲＯＳのバージョン（ＲＯＳ 2）を使うこと、通信に介入されないように通信路の安全を高めること、通信への介入を検知したら遮断すること——などを挙げている。

今回紹介したＡＩウイルスはプロトタイプであり、すぐには実用化できないだろう。あくまでも論文レベルなので、これをもって「ＡＩウイルスに気をつけろ」「手術ロボットは危ない」などとはまだいえない。

ただＡＩの発展により、「自分で判断して攻撃を仕掛ける」というＡＩウイルスが絵空事ではなくなっていることは認識しておいたほうがよいだろう。

8-2

アレクサに「電話して」と伝えたらなぜか詐欺師につながる驚愕の手口が発覚

米国の非営利組織であるベター・ビジネス・ビューロー（ＢＢＢ）は２０１９年８月、Alexa（アレクサ）やSiri（シリ）といった音声アシスタントを悪用した詐欺が確認されたとして注意を呼びかけた。

音声アシスタントとは、音声で機器を操作する機能やサービス。スマートデバイスなどが備えている。音声アシスタントを使用して電話をかけると、詐欺師が用意した偽のサポートセンターなどにつながり、金銭をだまし取られる恐れがあるというのだ。

ＢＢＢによれば、実際に被害に遭ったユーザーがいるという。被害者の１人は、スマートデバイスの音声アシスタントを使って大手航空会社のサポートセンターの電話番号を調べ、電話をかけた。自分が搭乗する予定の飛行機の座席を変更したかったためだ。

だが、電話がつながったのは詐欺師が用意した偽のサポートセンターだった。電話に出た詐欺師は、特別なプロモーションを実施しているとして４００ドル（約４万４０００円）を支払わせようとしたという。

リポートに詳細は書かれていないが、400ドルを支払えばお得なサービスを提供するなどと言ったと考えられる。

別の被害者は、自分が使用しているプリンターのサポートセンターに電話しようと音声アシスタントに命令したら、偽のサポートセンターにつながったという。

偽のサポートセンターは、被害者のプリンターやパソコンに問題があると虚偽の主張をして、有料サポート契約を結ばせようとした。いわゆる「サポート詐欺」である。「テクニカルサポート詐欺」や「テクサポ詐欺」などとも呼ばれる。

詐欺師の電話番号にかけてしまう原因は、音声アシスタントが検索サイトで電話番号を調べているためだ。詐欺師がＳＥＯ（検

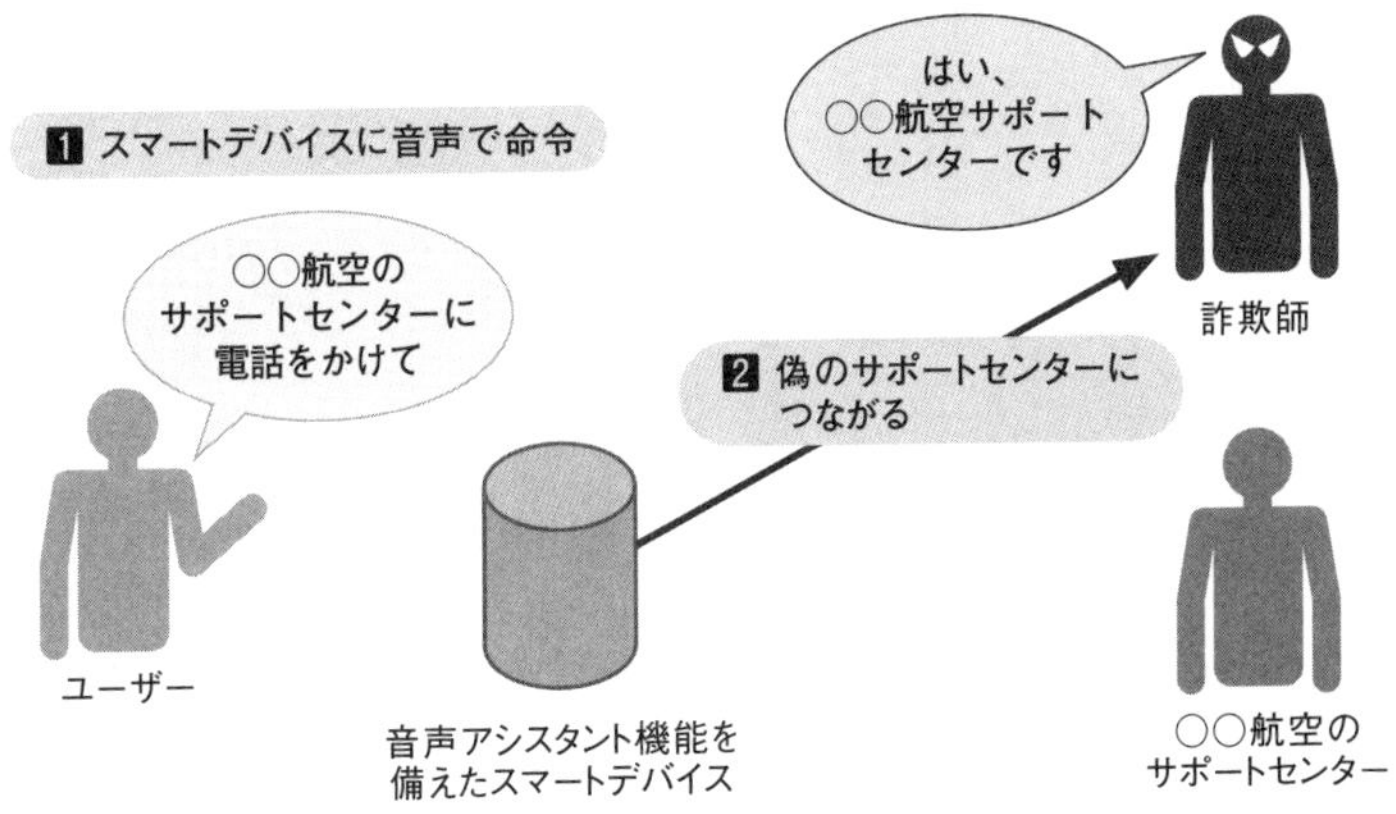

今回報告された詐欺の流れ
スマートデバイスの音声アシスタントを使ってサポートセンターなどに電話しようとすると、詐欺師が用意した偽のサポートセンターに電話がつながってしまう。

索エンジン最適化）を駆使して偽のサポートセンターの電話番号が上位に表示されるようにすると、音声アシスタントはその番号を本物だと思って電話をかけてしまう。

　SEOとは、特定のWebサイトが検索結果の上位に表示されるように工夫すること。インターネットでビジネスを展開している企業にとって、検索サイトでの表示順は死活問題だ。このため各企業ともSEOに腐心している。

　このSEOを悪用して、詐欺サイトが上位に表示させることを「SEOポイズニング」と呼ぶ。詐欺サイトには偽のサポートセンターの電話番号を掲載しているので、SEOポイズニングがう

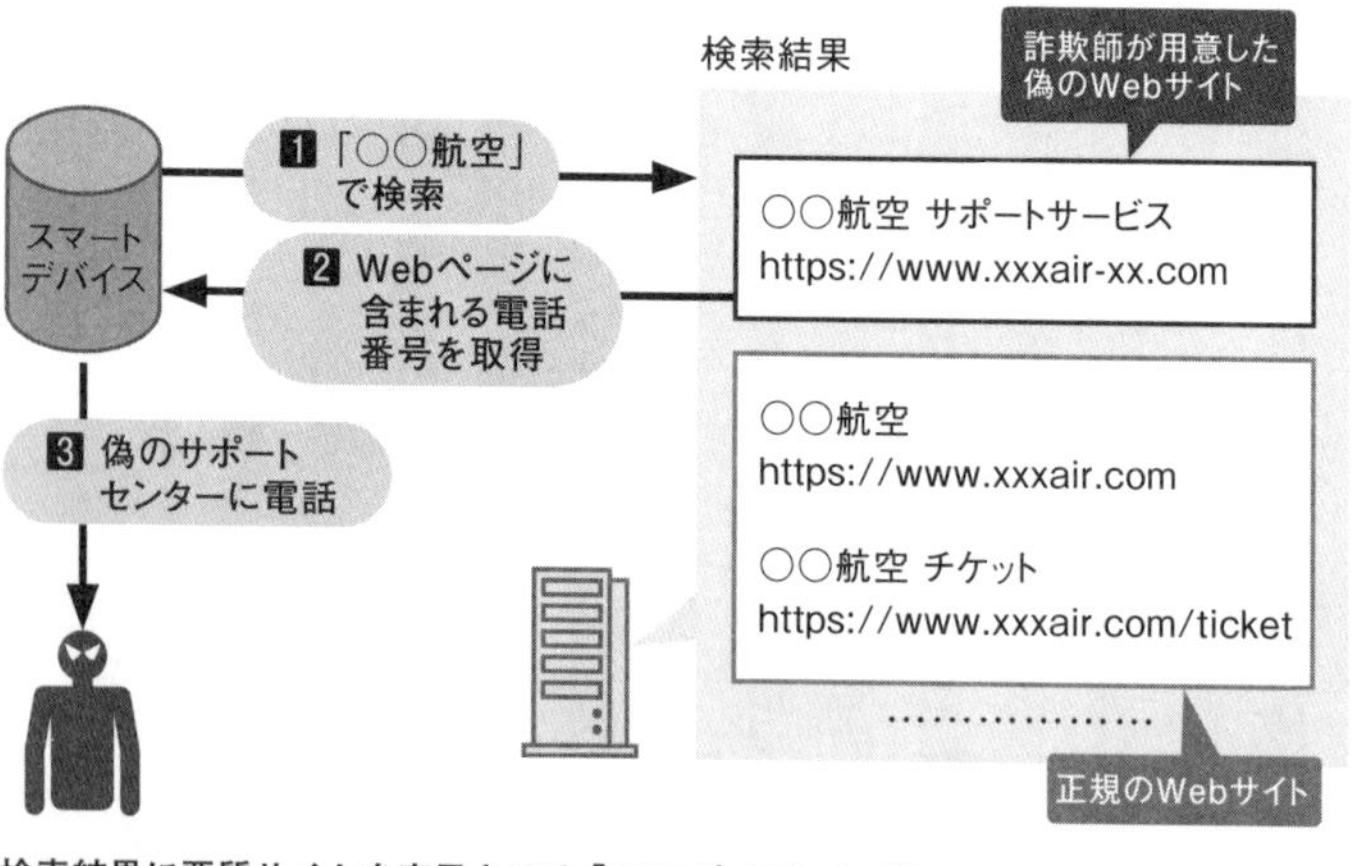

検索結果に悪質サイトを表示させる「SEOポイズニング」
SEOポイズニングとは、SEO（検索エンジン最適化）を駆使して悪質なWebサイトを検索サイトの上位に表示させる手口。これにより、偽のサポートセンターを本物だと思わせる。

まくいけば、前述のような詐欺が可能になる。

なかなか恐ろしい手口だが、ＳＥＯポイズニングは今に始まったことではない。ユーザーのほとんどが検索サイトに依存している現在、ユーザーを詐欺サイトに誘導する手段としてＳＥＯポイズニングはうってつけなのだ。

アダルト好きを狙うワンクリック詐欺サイト

筆者がＳＥＯポイズニングの記事を初めて書いたのは２００６年だったと記憶している。セキュリティー組織であるＪＰＣＥＲＴ／ＣＣの注意喚起を記事にした。

当時、企業がキャンペーン用のＷｅｂサイトを構築し、そのＷｅｂサイトにアクセスするためのキーワード（商品名やプレゼント名、キャンペーン名など）を、新聞やテレビで告知することがはやっていた。そのキーワードを使ってGoogleなどで検索すれば、ＵＲＬを入力することなくそのＷｅｂサイトにアクセスできる。

だが企業よりも詐欺師のＳＥＯが優れていると、本物のキャンペーンサイトよりも偽サイト（詐欺サイトやウイルス配布サイトなど）のほうが上位に表示されてしまう。ＳＥＯの重要性がそれほど認識されていなかった当時は、そのようなことが何度も発生していた。

２０１０年以降に国内で流行した「ワンクリック詐欺」でも、ＳＥＯポイズニングは大いに使われた。ワンクリック詐欺とは、有料サービスに登録したと思わせて、架空の料金を請求する詐欺のこと。

その詐欺サイトへの誘導にＳＥＯポイズニングが利用されたのだ。特にアダルト関連のキーワードが狙われた。例えば、そのものずばりの「アダルト」で検索すると、検索結果の上位にワンクリック詐欺サイトが表示された。

このＷｅｂサイトの画像などをクリックすると、動画に見せか

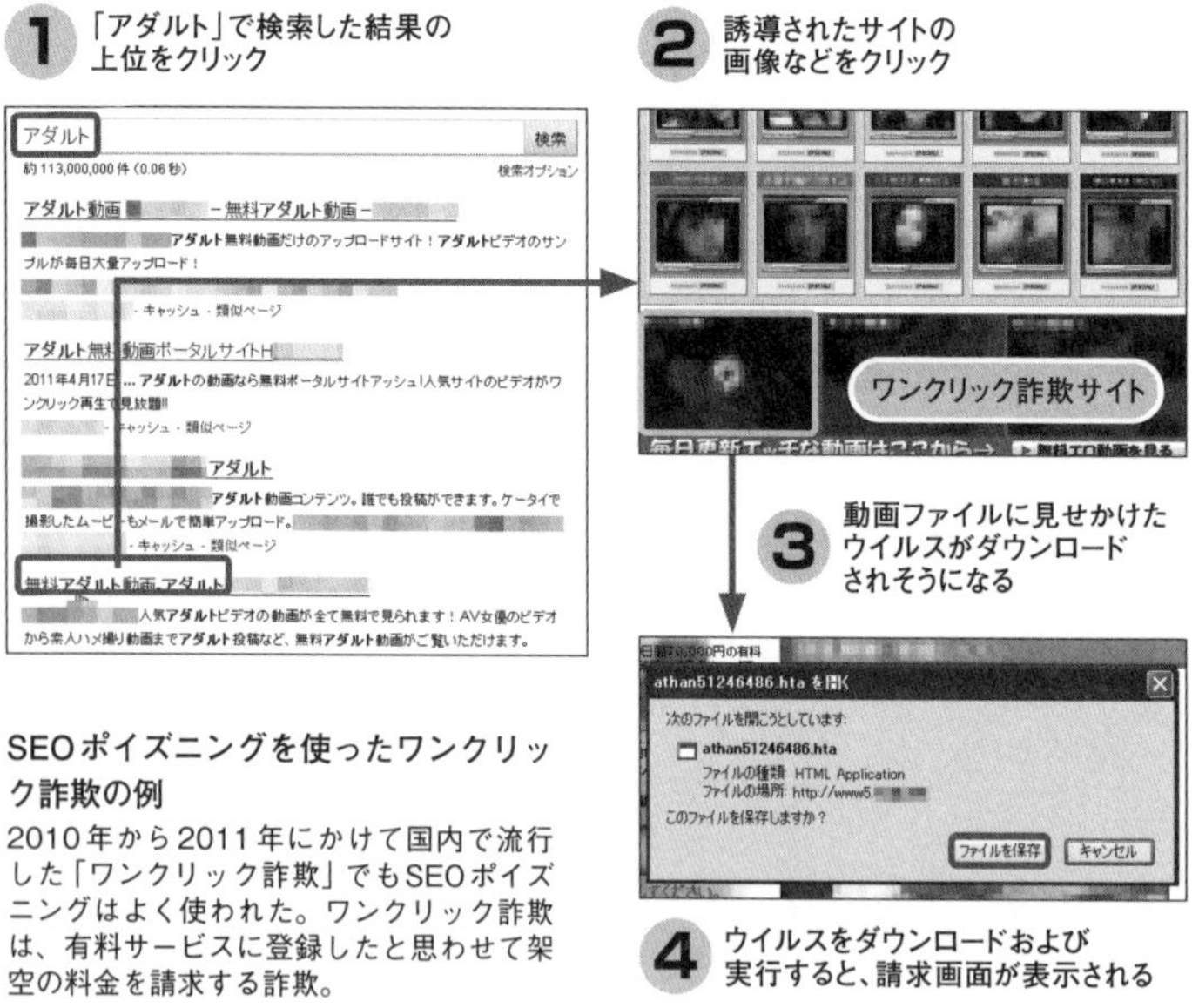

SEOポイズニングを使ったワンクリック詐欺の例
2010年から2011年にかけて国内で流行した「ワンクリック詐欺」でもSEOポイズニングはよく使われた。ワンクリック詐欺は、有料サービスに登録したと思わせて架空の料金を請求する詐欺。

けたウイルスファイルがダウンロードされる。そのファイルを開くと、料金請求の画面が表示され続ける。

全盛期だった２０１０年から２０１１年にかけては、ＩＰＡに相談が殺到。２０１０年８月には１カ月で９３５件の相談が寄せられたという。多数のアダルト好きが被害にあったようだ。

だが、検索サイトが怪しいサイトを排除するようになり、２０１０年前後に比べてＳＥＯポイズニングは難しくなっている印象だ。一般的なキーワードの検索結果の上位に詐欺サイトが表示されることは少なくなったように思う。

とはいえＳＥＯポイズニングが使われなくなったわけではない。最近では２０１７年12月、特定の商品名で検索すると検索サイトの上位に表示される偽ショッピングサイトが多数出現して話題になった。

検索サイトは今や単なるＷｅｂアプリケーションではなくインフラになっている。このため音声アシスタントを悪用した今回の手口のように、ＳＥＯポイズニングを使った新たな詐欺やサイバー攻撃が登場する可能性は極めて高い。検索サイトの結果をうのみにしないことが何よりも重要だ。

8-3

チャットでの悪口が筒抜けに ビデオ会議映像でキー入力推測の仰天手法

テレワークの広まりとともに、もはや日常になっているビデオ会議。画面越しに上司や同僚と毎日のように顔を合わせている人は少なくないだろう。

ただビデオ会議の最中にキーボードをたたくときは注意してほしい。画面に映っている肩や腕のわずかな動きから、入力している単語や文章を推測できる可能性があるというのだ。ビデオ会議中にプライベートチャットで同僚に送った上司の悪口が、会議に参加しているその上司に筒抜けになる。そんなことが現実になるかもしれない。

映像の1コマ1コマを画像処理

人物の上半身しか見えないWeb会議の映像から、その人物がキーボードに入力している文字を推測する。そのような研究に挑んだのは、米テキサス大学サンアントニオ校のムルトゥザ・ジャリワラ氏が率いるプロジェクトチームだ。具体的には、対象とする人物の肩や腕の動きを解析して、キー入力時の指の動きを推測する。多くのパソコンが高解像度のＷｅｂカメラを搭載しているので、上半身のわずかな動きも記録できるという。キーを一つひとつ探しながらタイプするなら入力時に肩や腕が動きそうだが、タッチタイピングなら動くのは手首や指だけで、肩や腕はほとんど動かないように思える。だがジャリワラ氏らの論文によれば、入力時にキーが及ぼす反発力により、滑らかなタッチタイピングであっても肩や腕は視覚的に観察できるほど動くという。

映像の1コマ1コマの画像から、対象ユーザーが入力した単語を推測する大まかな流れは次の通り。まず画像から背景を取り除いてグレースケールにする。それから対象の顔を検出し、その位置から肩や腕の位置を特定する。そして対象とした人物の肩および腕の輪郭を推測し、これらの変位からどの指がどの方向に動いたのかを計算。押されたキーを特定して、その人物が入力した英単語を推測する。

ただ、入力キーの特定には誤差がある。入力されたと思われるキーの文字を並べても英単語にならない可能性がある。そこで辞書を使って補正する。例えば入力されたキーが5文字の場合、そのうち4文字が一致する英単語が辞書にあれば、その英単語が入力されたと判断する——といった具合だ。

実験環境は次の通り。被験者は20人。被験者はＷｅｂカメラが付いたパソコンの前に座り、画面に表示された単語をキーボードで入力する。そして入力した単語と、映像から推測した単語を比較。1回の実験につき300単語が表示され、それを6回繰り返した。

結論から言うと正解率はそれほど高くなかった。論文では、入力した単語と推測した単語がずばり一致した割合は記されていない。その代わり、「映像から推測した上位k個の単語に、入力した単語が含まれていた割合」を示している。これを「Top k」と表す。

例えば「Top 10の正解率（単語の復元率：Word Recovery）が40％」というのは、映像から推測した上位10個の単語の中に、実際にキー入力した単語が含まれる割合が40％であることを表す。実験では、被験者の服装やタイピングの方法、Webカメラやキーボードの種類などを変えて、正解率がどのように変わるかを調べた。

いずれの条件でもTop 10が40〜50％程度、Top 200が70〜80％程度だった。実際の状況では、どのような単語を入力したのかは文脈などからも判断できるので、「Top k」を推測できるだけでも脅威になり得る。とはいえ現状では、Web会議の映像からプライベートチャットの内容を推測するのはまだ難しいようだ。攻撃者にとって有望な手法であるが、実際の脅威になるまでは時間がかかるだろう。

8-4

部屋の「電球」を観測すると盗聴が可能に スパイ映画顔負けのＬａｍｐｈｏｎｅ

部屋の天井からつるされた電球（ランプ）の振動を見て室内を盗聴する――。そんなスパイ映画顔負けの盗聴手法が２０２０年6月に発表された。ランプ（lamp）をマイクロホン（microphone）として使うので「Lamphone（ラムホン）」と命名された。電球の微細な振動を望遠鏡で観測することで、室内で交わされる会話を離れたところからでも盗聴できるという。本当にそのようなことが可能なのだろうか。

Lamphoneはイスラエルのネゲブ・ベン＝グリオン大学とワイツマン科学研究所の研究チームが開発した。２０２０年8月初めにセキュリティーの国際会議「Black Hat USA 2020」で発表されて話題になった他、10月に日本で開催された「CODE BLUE 2020」でも発表された。発表者はいずれもネゲブ・ベン＝グリオン大学のベン・ナッシ氏。同氏は自身のＷｅｂサイトでLamphoneの詳細を公表している。

CODE BLUE 2020での発表やナッシ氏のＷｅｂサイト、研究論文などによると、Lamphoneの流れは次の通り。攻撃対象（被害者）の部屋の中で音声が発生すると、それにより天井からつるされた電球の表面が振動する。攻撃者（盗聴者）は望遠鏡を使って電球の光をセンサーに取り込み、その信号を元の音声に変換する。

25メートル離れた場所で盗聴

マイクロホンを使わず間接的に盗聴する手法は以前から存在する。「ジャイロホン」「レーザーマイクロホン」「ビジュアルマイクロホン」の3つがよく知られている。詳細は割愛するが、Lamphoneは視覚を音声に変換するビジュアルマイクロホンの発展形といえる。ビジュアルマイクロホンは振動に

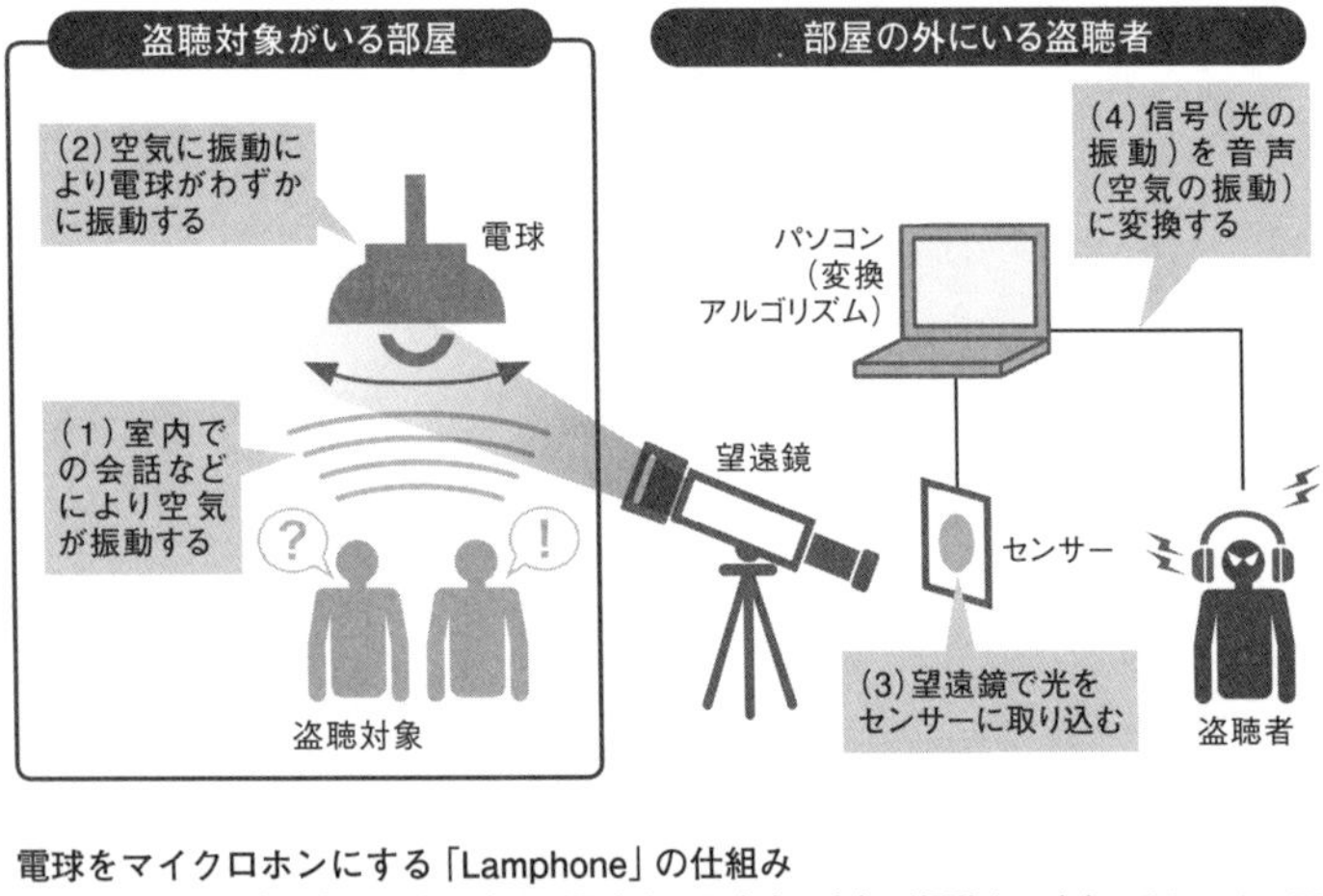

電球をマイクロホンにする「Lamphone」の仕組み

盗聴対象（被害者）の部屋の中で音声が発生すると室内の空気が振動する（1）。それにより天井からつり下げられた電球がわずかに振動する（2）。盗聴者（攻撃者）は望遠鏡を使って電球の光をセンサーに取り込み（3）、その信号を元の音声に変換する（4）。ベン・ナッシ氏のWebサイトを参考に作成。

反応する室内の物体を撮影し、その映像を分析する。Lamphoneは音声で振動する電球（光源）の光の変化を測定する。

研究チームはビルの3階にあるオフィスを攻撃対象に実験した。このオフィスで流した音楽および短いスピーチがLamphoneで盗聴できるか調べた。マイクロホンになるのは、そのオフィスの天井につられた12ワットの電球である。盗聴場所はオフィスから25メートル離れた歩道橋の上。望遠鏡を設置して接眼レンズに光学センサーを取り付け、電球からの光の変化を測定。数々の補正を加えたうえで音声に変換した。なお盗聴場所では、実験中にオフィスで流した音楽や音声は聞こえなかったという。

実験で流した音楽はザ・ビートルズの「Let It Be」とコールドプレイの「Clocks」。Lamphoneで最終的に得られた音声を音楽認識アプリ「Shazam（シャザム）」に聞かせたところ、いずれも正しく認識できたという。米国のドナルド・トランプ前大統領の演説のセリフ「We will make America great again！」も流した。最終的に得られた音声を米グーグルの音声認識サービスに聞かせたところ、正しく書き起こしたという。

とはいえ今回の実験結果として示されたのは以上で、複数人による会話の盗聴などは難しかったようだ。センサーの感度や、信号を変換するアルゴリズムの精度などが不十分だったとしている。ただ、ナッシ氏は6年で技術が飛躍的に進歩する場合があると述べる。前述のビジュアルマイクロホンは2014年に発表され、6年後にLamphoneが登場。このため2026年には、実際の脅威になるLamphoneの発展形が出現しうるとしている。

次々と登場する盗聴手法。だが現時点では、それほど慌てる必要はない。今回挙げた盗聴手法はコストがかかりすぎるし精度にも課題がある。盗聴を恐れるなら、まずは盗聴器が仕掛けられていないか確認したほうがよい。廉価で高性能の盗聴器は多数出回っている。

8-5
スマホのタップ音から暗証番号を盗み出す恐るべき盗聴手法の精度はいかに

スマートフォンやタブレットに数字や文字を入力する際には、画面に表示されるキーボードをタップするのが一般的だ。指で画面をタップするときには、音や振動のフィードバックを無効にしていてもわずかながら音が出る。スマートスピーカーなどの外部マイクでこの音を拾えば、入力された暗証番号（ＰＩＮ）や文章を推測できるのではないか——。そんなゾッとする研究を紹介しよう。

スマートスピーカーでタップ音を拾う

今回紹介する研究を実施したのは英ケンブリッジ大学コンピューター研究所のグループ。「HEY ALEXA WHAT DID I JUST TYPE？ DECODING SMARTPHONE SOUNDS WITH A VOICE ASSISTANT」という論文に結果をまとめて２０２０年12月に発表した。

物理的なキーボードのタイプ音から入力キーを推測する研究は以前から行われている。

音の強度や周波数のわずかな違いから押されたキーを特定する。２００４年には関連する論文が発表され、推測を可能にするソフトウエアなども出回っている。現在では現実的な脅威になっているといえる。

２０１１年になると、スマホなどのスクリーンキーボード（仮想キーボード）のタップから入力キーを推測する研究も相次いで発表され始めた。最初はスマホのジャイロスコープを使って、タップによる振動からどのキーを入力したのかを推測する研究が発表された。その後２０１４年にはジャイロスコープとマイクを組み合わせて入力キーを推測する論文、２０１９年にはスマホのマイクだけで入力キーを推測する論文が発表された。

ただ、これらは対象とするスマホの機能を利用するので、アプリをインストールさせたり、攻撃者との電話中にタップさせたりする必要がある。そこでケンブリッジ大学のグループは、スマホとは無関係の外部マイクでタップ音を拾うことにした。

外部マイクとして論文の著者らが候補として考えたのが、音声アシスタント機能を備えるAmazon EchoやGoogle Homeといったスマートスピーカーである。スマートスピーカーは複数の高性能マイクを備えている。研究では次のような攻撃シナリオを想定した。

1　ユーザーがスマホをタップして銀行などの暗証番号を入力する
2　ユーザーのそばに置かれたスマートスピーカー（音声アシスタント）がタップ音を拾う
3　入力された音声情報を音声アシスタントがクラウドに送信。そこで処理および保存される
4　攻撃者は何らかの方法で音声情報にアクセスする
5　攻撃者は音声情報からタップ音を抽出する
6　タップ音から入力された暗証番号を推測する

だが、一般に販売されているスマートスピーカーが収集した生の音声情報にアクセスするのは容易ではない。実験では、何らかの方法でスマートスピーカーを乗っ取れたと仮定し、マイクを備えた装置で音声認識などに利用できるReSpeaker（リスピーカー）をスマートスピーカーの代わりに用いた。ReSpeakerは小型コンピューターのRaspberry Pi（ラズベリーパイ）に接続する。

実験にはReSpeaker 6マイク円形アレイキットを用いた。半径4・63㎝の円上にマイクを6個配置した装置だ。これを使って最大50ｃｍ離れたスマホおよびタブレットの

タップ音を拾う。

端末にはスマホのNokia 5.1とMate 20 Pro、タブレットのNexus 9を使用。それぞれで実験用に作成したアプリを動作させた。アプリは画面上に5桁の数字および英単語を表示。被験者はその通りにキーボードをタップする。

実験環境ではポッドキャストの音楽を流すなどして、現実的な騒音レベルを再現したとしている。マイクが集音するのはタップ音だけではない。録音された音からまずはタップ音を抽出し、それからそのタップ音がどのキーに対応しているのかを推測する必要がある。

ここでAIを使う。被験者はそれぞれの端末を使って大量のデータセットを作成。各データセットには250～500回のタップが記録されたという。データセットの総数は論文には記述されていない。得られたデータセットから深層学習(ディープラーニング)を用いてモデルを作成し、そのモデルを使ってタップ音から入力キーを推測した。

英単語なら条件付きで正解率4割

結果を見てみよう。まず、数字1つあるいは英字1文字を打った場合、そのキーを最初の推測で当てられる確率は3割弱から5割弱だった。

5桁の暗証番号を当てるのは難しかったようだ。最初の推測で当てることはほとんどできなかった。10回推測した場合の正解率は最大で10％強、１００回の推測で最大30％強だった。

英単語は暗証番号に比べて正解率は高かった。最初の推測で最大40％弱、10回の推測で最大50％強の正解率だった。英単語の場合には辞書を使って補正できるからだ。推測した英字の並びが英単語ではなかった場合には、最も近い英単語を推測値にしたと考えられる。

ただ英単語の結果には、収集した音声データからタップを正しく検出できるという追加の仮定がある。暗証番号の場合とは異なり条件付きの結果だ。論文には説明がないが、タップを正しく検出できない場合には英単語の文字数が分からず、辞書による補正があまり利かないためではないかと考えられる。

以上のように、「タップ音から入力キーを推測する」というのは興味深い研究ではあるが、幸いにも現実的な脅威になるにはもう少し時間がかかるようだ。

それよりも、キー入力を第三者に盗み見られることを心配したほうがよい。電車の中や駅などの公共の場で、人目もはばからず画面ロック解除の暗証番号などを入力している人を見かける。こちらのほうがよっぽど脅威である。

8-6

「ＡＩセキュリティー」は万全ではない 過度な期待は禁物と肝に銘じるべき理由

ＡＩがバズワード、もとい重要なキーワードとして様々な分野でもてはやされている。ＩＴセキュリティーの分野も例外ではない。「ＡＩ搭載」をうたうセキュリティー製品が多数市場に出ており、今後も増えるだろう。

ＡＩにより可能になるとされている機能の1つが、未知のコンピューターウイルスの検出だ。昔ながらの手法である「パターンマッチング」では、既知のウイルスは検出できても、新たに出現したウイルスは検出できない。パターンマッチングは、過去に出現したウイルスの特徴と検査対象ファイルを照合してウイルスかどうかを判断するためだ。

だが、ＡＩによる検出機能が進化してもパターンマッチングにはかなわないと筆者はみている。未知ウイルスの検出には「フォールスポジティブ」の問題がつきまとうからだ。

既知ウイルスの特徴と照合

前述のように、ウイルス対策ソフトの最も基本的な検出方法はパターンマッチングだ。

ベンダーは既知ウイルスのプログラムの中から特徴的なパターンを抜き出してデータベースファイルを作成する。

そのデータベースファイルと検査対象ファイルを照合して、検査対象ファイルに既知ウイルスが含まれていないかどうか調べる。このデータベースファイルはパターンファイルやウイルス定義ファイル、シグネチャーなどと呼ばれる。

パターンマッチングではパターンファイルに含まれるウイルスしか検出できない。このため２０００年ごろまで、ベンダー各社はウイルス対策ソフトのパッケージに「○万種類のウイルスに対応！」とうたい、パターンファイルに含まれるウイルスの数を競った。

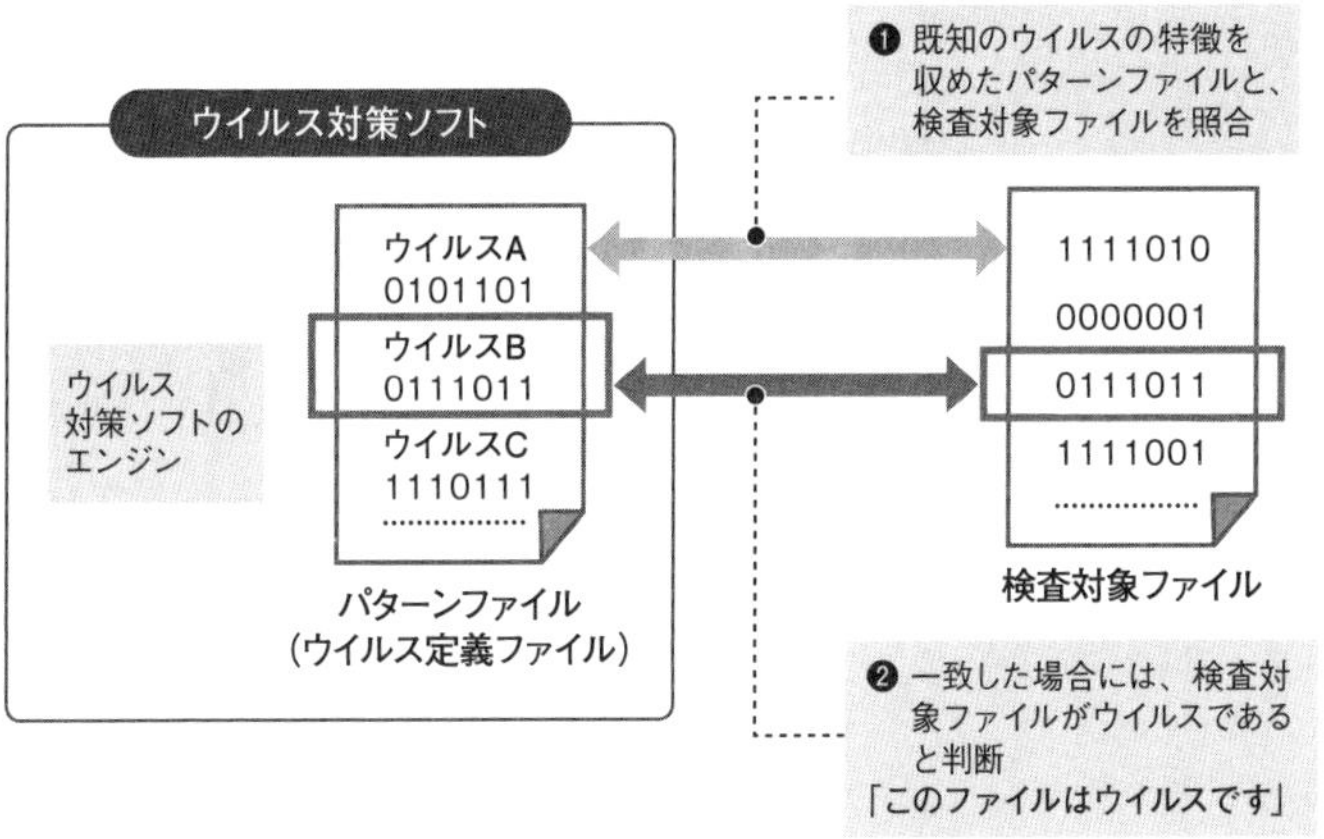

パターンマッチングによるウイルス検出

ただ、対応するウイルスの数え方はベンダーによって異なっていた。あるベンダーはプログラムの中身がほんのちょっと異なる亜種（変種）も別の種類とカウントするのに対して、あるベンダーは亜種を同じ種類だとカウントしていた。

このため後者のカウント方法を採用しているベンダーの担当者からは「あのベンダーとは数え方が異なる。実際にはウチの製品のほうが検出率は高い」といった話をよく聞いた。「ウチは新種ウイルスのサンプルを入手する独自の経路があるので、他社製品では検出できないウイルスも検出できる」と、確かめようのない話をするベンダーもいた。

あるベンダーは一般ユーザーから新種ウイルスを募集していた。ウイルス対策ソフトで検知できなかったウイルスをたくさん送ってくれた人に賞を贈るベンダーもあった。

振る舞いでウイルスを検出

他社よりもいかに早く新種ウイルスのサンプルを入手できるか――。これが2000年ごろのセキュリティーベンダーの競争力だったと記憶している。

だが2002～2003年ごろになるとうたい文句が変わってきた。パターンファイルを必要としない検出方法が出現したからだ。具体的には、実行した場合の振る舞いやプログラムの構造によって、ウイルスかどうかを判断する方法である。

こういった検出方法は、ヒューリスティック検知や振る舞い検出などと呼ばれる。ただこれらの言葉の定義はベンダーや研究者によって異なるようだ。ここでは振る舞い検出と呼ぶことにする。

振る舞い検出の登場は衝撃的だった。ウイルス対策ソフトの新版が登場するたびベンダー各社は、自社の振る舞い検出機能がいかに有能なのかを熱弁。パターンマッチングでは検出できない未知ウイルスも検出できると強調していた。

振る舞い検出が万全なら、パターンマッチングによる検出はもはや不要なのではないだろうか。記者の質問に、ベンダー担当者の歯切れが悪かったのを覚えている。

様々な専門用語を駆使して回答してくれたが、要するに「パターンマッチングと同様に、振る舞い検出も１００％ではない。パターンマッチングを補完するものだと考えてほしい」ということだった。

この言葉の通り、パターンマッチングにも振る舞い検出にもウイルスを適切に検出できないケースがある。だが質が異なる。

既知ウイルスの情報を使うパターンマッチングの場合、新種ウイルスは検出できない。つまり、ウイルス陽性（ポジティブ）のファイルを陰性（ネガティブ）だと間違える「フォールスネガティブ」が発生する。誤検知というより見逃しである。

だが、ウイルスではないファイル（ネガティブ）をウイルス（ポジティブ）だと間違える「フォールスポジティブ」が発生する可能性は低い。

一方振る舞い検出は、プログラムの振る舞いで判断するので正規のファイルをウイルスと判定する恐れがある。フォールスポジティブが発生する可能性があるのだ。

フォールスポジティブが発生すると、ウイルスに感染していないにもかかわらず正規のファイルが隔離や駆除されて、コンピューターが正常に機能しなくなる恐れがある。

もちろんフォールスネガティブが原因でウイルスに感染した場合でもコンピューターは正常に機能しなくなる。ただ、フォールスポジティブとフォールスネガティブのどちらがより問題かというと前者だろう。

「答え」があるパターンマッチングでは、実装を間違えなければフォールスポジティブは発生しない。

だが振る舞い検出は実装にかかわらず、フォールスポジティブとフォールスネガティブは原理的にトレードオフの関係にある。未知ウイルスの検出率を高めるために検出ルールを厳しくすれば、ウイルスではないプログラムをウイルスだと誤検出しやすくなる。

このためパターンマッチングはきっちり実装して既知ウイルスは確実に検出。ただし未知ウイルスの検出ルールはそれほど厳しくせず、検出率を犠牲にしてもフォールスポジティブを極力抑える――。以上が、古くからのウイルス対策ソフトの基本戦略だと筆者は考えている。

フォールスポジティブは避けられない

時を戻そう。猫もしゃくしも「ＡＩセキュリティー」を唱え始めた昨今、その効用として未知ウイルスの検出を挙げるケースは少なくない。だが前述のように、未知ウイルスの検出技術は以前から存在する。もちろん、実現する技術は異なるのだろうが、素人から見ると違いは全く分からない。

また、従来の技術より飛躍的に向上しているとしてもフォールスポジティブの発生は避けられない。このためチューニングにより検出ルールは緩くされるだろう。

さらに、市販製品の場合には攻撃者は該当製品を入手して試せるというメリットがある。これはウイルスとの攻防における永遠のテーマでもある。ウイルスの検出方法にかかわらず、攻撃者の絶対的優位は揺るがない。

攻撃者はウイルス対策ソフトを試せる

言っておくが、ＡＩセキュリティーを否定するのが本記事の目的ではない。ＡＩセキュリティーの進展により未知ウイルスの検出が少しでも向上することを期待している。

言いたいのは、「ＡＩを使っています」といったうたい文句を闇雲にありがたがらないでほしいということと、未知ウイルスを検出するのは難しいということだ。

どれだけ頑張ってもユーザーは攻撃者の後手に回らざるを得ない。「ウイルス対策ソフトは万全ではない」――。この20年間、筆者が数え切れないほど書いたフレーズの一つである。

第9章 あなたを狙う悪い奴ら

9-1

犯罪の巣窟ダークウェブは軍事施設跡地 ドイツ警察が暴いた闇

インターネットに存在するWebサイトは、アクセスする方法や環境によって「サーフェスウェブ」と「ディープウェブ」に分類される。インターネットを氷山に例えると、海面より上がサーフェスウェブ、下がディープウェブのイメージだ。

サーフェスウェブは一般的な環境でアクセスできる範囲、ディープウェブはパスワードの入力や特殊な環境を必要とする範囲を指す。

ディープウェブのうち、特にTor（トーア）などの特殊なソフトウエアを使わないとアクセスできない範囲をダークウェブという。Torを使うのは、発信元や通信経路の特定を困難にするためだ。Torはランダムに選択したTorサーバーを経由して通信する。サーバー間の通信はそれぞれ異なる鍵を使って暗号化し、ほかのサーバーには通信内容や通信相手が分からないようにする。

ダークウェブは犯罪の巣窟

ダークウェブは関係者以外アクセスできないため、犯罪の巣窟になっている。ここでは、麻薬や児童ポルノなど違法な物品が売買され、サイバー攻撃や迷惑メール、ネット詐欺などのプラットフォームとしても使われる。

ダークウェブはサイバー空間に存在するが、そのコンテンツを配信する物理的なサーバーは現実世界に存在する。

だが、一般的なホスティング事業者はダークウェブに利用させない。違法な使い方を

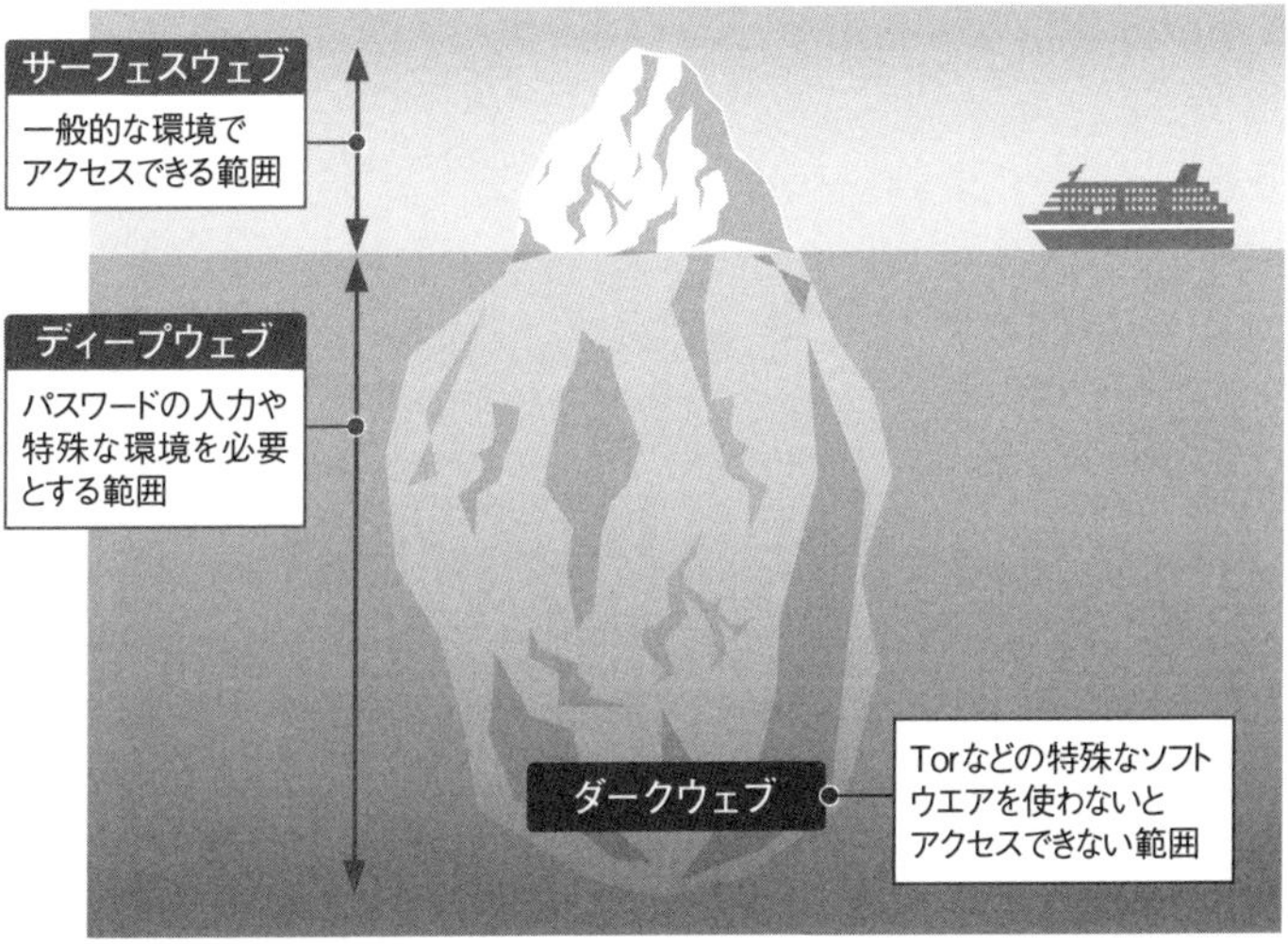

Webサイトの分類例
インターネットに存在するWebサイトは、「サーフェスウェブ」と「ディープウェブ」に分類される。ディープウェブのうち、特殊なソフトを使わないとアクセスできないWebサイトは「ダークウェブ」と呼ばれる。

していることが分かればすぐに停止する。そこでダークウェブ向けのホスティング事業者が登場している。ある事業者のデータセンターは、なんと北大西洋条約機構（NATO）の軍事施設跡地にあった。

600人の警官がアジトを急襲

ドイツのサイバー犯罪対策国家中央事務所（LZC）とラインラント・プファルツ州警察は2019年9月末、ダークウェブ向けのデータセンターを強制捜査したことを明らかにした。データセンターはNATOの掩体壕（えんたいごう：敵の攻撃から装備や物資、人員などを守るた

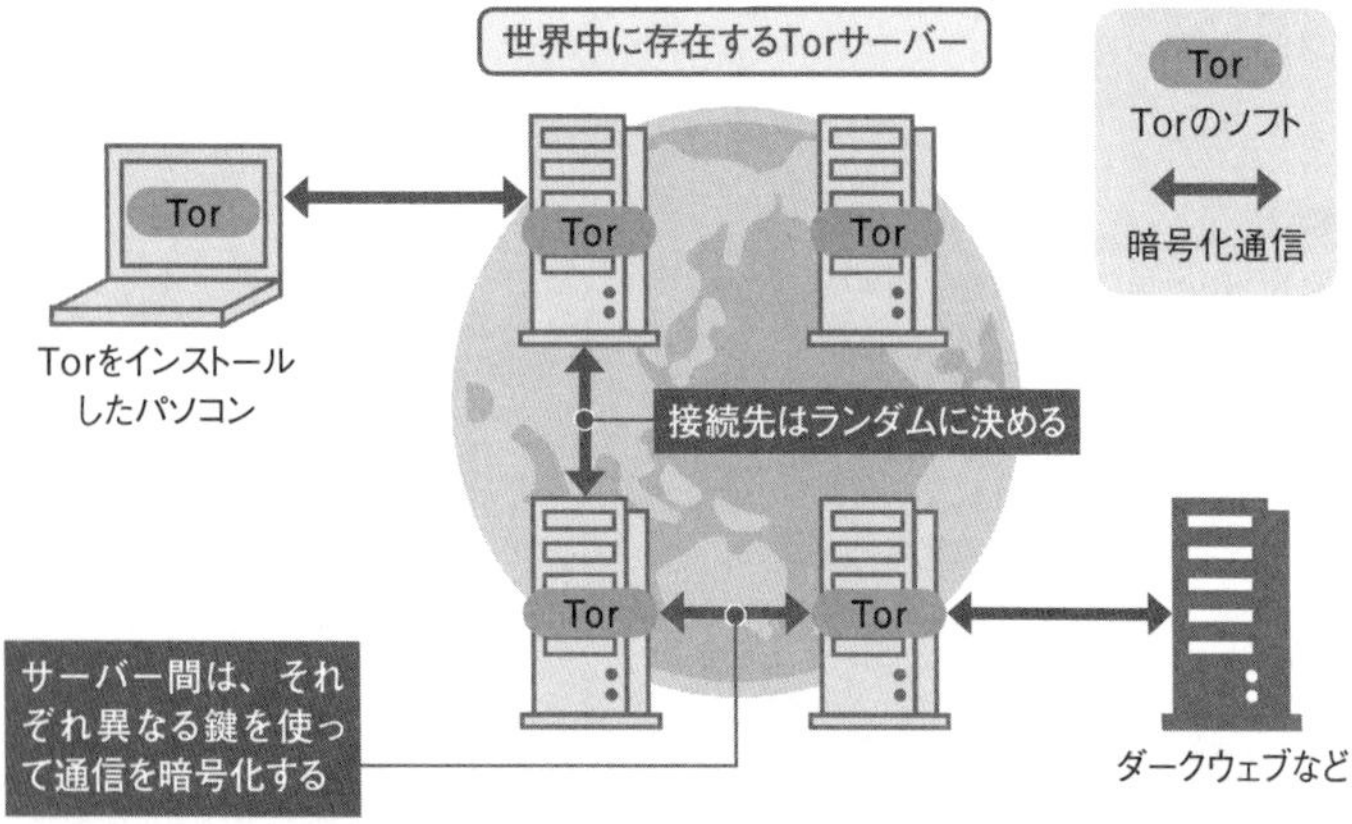

発信元や通信経路の特定を困難にするTor

パソコンにインストールしたTorのクライアントソフトは、世界中に存在するTorサーバー経由を経由して目的のWebサイトにアクセスする。「通信経路をランダムに決める」「Torサーバーはそれぞれ異なる暗号化通信を行う」ことで、発信元や通信経路を特定できないようにしている。

めの施設）として使われていた建物を利用していた。

容疑者は13人。7人はその場で逮捕し、残る6人には逮捕状を発行したという。

掩体壕は英語でバンカーなので、このデータセンターは「サイバーバンカー」と呼ばれていた。

警察のプレスリリースやAP通信の報道などによれば、場所はドイツ西部のモーゼル川沿いの町、トラーベントラーバッハ。跡地の面積は約1万3000平方メートル。フェンスと監視カメラが設置され、猛犬が放されていた。建物は地上1階、地下5階で敷地面積は5000平方メートルだ。

サイバーバンカーが造られたのは2013年。LZCと州警察は5年にわたって綿密に調査を続けた。

そして2019年9月26日、ドイツの連邦警察の対テロ特殊部隊GSG－9を含む600人以上の警官がサイバーバンカーを急襲。前述のように容疑者を逮捕し、約200台のサーバーと多額の現金を押収した。

サイバーバンカーが使用していたドメイン名「cb3rob.org」なども押収した。このため押収直後にこのドメインにアクセスすると、押収されたことを示すWebページが表示された（現在ではアクセスできない）。

世界で2番目のアングラマーケットを運用

ＬＺＣと州警察によると、サイバーバンカーにはダークウェブの悪名高いマーケットやフォーラムが多数ホスティングされていたという。

その1つが、世界で2番目に大きい規模のアンダーグラウンドマーケットといわれていた「ウォールストリートマーケット」である。25万件以上の麻薬取引を仲介し、取引額は２１００万ユーロ以上だった。

「大麻の道」と呼ばれるマーケットには、あらゆる種類の違法薬物の販売者87人が登録され、数千件の取引を仲介した。

そのほか「オレンジケミカルズ」「アセケムストア」「ライフスタイルファーマ」なども違法薬物の取引サイトとして知られていて、サイバーバンカーでホスティングされていた。

２０１６年11月末にドイツの通信事業者ドイツテレコムのユーザーを狙った攻撃も、サイバーバンカーのサーバーから制御されていたという。攻撃者はドイツテレコムユーザーのルーター約１００万台にコンピューターウイルスを感染させて、ボットネットに組み込もうとした。

謎に包まれているダークウェブだが、今回ＬＺＣと州警察により、その一部が暴かれた。軍事施設だった建物をデータセンターにしているとは驚いた。サイバー犯罪者はここまでやるのだ。

そもそもそういった建物が売買されていることを筆者は知らなかった。だが、それほど珍しいことではないようだ。

著名なセキュリティージャーナリストであるブライアン・クレブス氏によると、古い軍事施設や地下シェルターを改築して転売する企業があるそうだ。

そして今回逮捕された容疑者のうち少なくとも2人は、オランダでもサイバーバンカーを造ってサイバー犯罪者向けのホスティングサービスを提供していたという。このためクレブス氏はドイツのサイバーバンカーを「サイバーバンカー2・0」と呼んでいる。

オランダのサイバーバンカー（サイバーバンカー1・0）で利用したのは1800平方メートルの掩体壕で、2011年に70万ドルで購入したという。サイバーバンカー2・0で利用した掩体壕の価格は分からなかった。

9-2

サイバー犯罪者が燃え尽き症候群に明らかになった「退屈な職業」の実態

ランサムウエア攻撃などのサイバー犯罪が後を絶たない。違法行為であるにもかかわらず、若年層の中にはサイバー犯罪者になりたがる人が少なくないといわれている。もしそんな人が身近にいたら忠告してほしい。サイバー犯罪は決してエキサイティングなものではなく、とても「退屈な職業」であるということを。英ケンブリッジ大学などの研究者が論文で明らかにした。

サイバー犯罪に憧れる若年層

「サイバー犯罪者」というとどんなイメージなのだろうか。卓越した技術により大企業のネットワークに侵入し、機密情報を盗み出して巨額の金銭を得る——。報道や創作物の影響によって、このような「ダークヒーロー」をイメージする人は少なくないだろう。

大きな被害をもたらしたサイバー犯罪者が逮捕されると、司法当局は自らの手柄を誇示するために、逮捕までの苦労や攻撃の巧みさなどを強調する。メディアは許されない犯罪であること、罪が重いことなどを伝える。

だが反抗心に満ちて、サイバー犯罪を「エキサイティングな職業」だと思っている若年層には逆効果であり、かえってその世界への憧れを強くさせてしまう。

そこでケンブリッジ大学や英ストラスクライド大学などの研究者は、サイバー犯罪者の実情を明らかにすることで、若年層がサイバー犯罪者に憧れることを防ごうと考えた。

研究者らはサイバー犯罪者コミュニティーの書き込みやサイバー犯罪者へのインタビューなどを通じて、サイバー犯罪の実態を調べた。その結果、サイバー犯罪の多くはひどく退屈であり、多数のサイバー犯罪者が燃え尽き症候群になっていることが明らかとなった。

研究成果は「Cybercrime is (often) boring : maintaining the infrastructure of cybercrime economies」という論文にまとめられ、インターネットで公開されている。以下、この論文をひもといていこう。

サイバー犯罪は一つの産業を形成

論文はサイバー犯罪に関する多数の論文を引用して、サイバー犯罪の変遷を解説している。サイバー犯罪者が「ハッカー」と混同されていた20年以上前は、サイバー犯罪にはエキサイティングな側面があったとしている。

当初サイバー犯罪者は「世間に反抗的で高度なスキルを持ち、現代社会に脅威をもたらす一匹おおかみ」といったふうにメディアによって「ロマンチック化」されていたという。現在でもそのようなイメージを持っている人はいるだろう。

ところがそれから15～20年間で状況は大きく変わった。サイバー犯罪が一つの産業になり、エコシステムが確立されたのだ。

分業化が進み、サイバー犯罪がサービスとして提供されるようになった。サイバー犯罪者が用意するインフラストラクチャーを利用すれば、スキルがない人間でもサイバー犯罪を実行できる。「Cybercrime-as-a-Service（サービスとしてのサイバー犯罪）」の誕生である。

論文は代表例として「ブーター」と呼ばれるサービスを紹介している。ブーターは、ボットネットを使ったＤＤｏＳ（ディードス）攻撃を提供するサービスである。ストレッサーなどとも呼ばれる。

ＤＤｏＳ攻撃とは標的としたコンピューターに大量のデータを送信してサービス停止に追い込むサイバー攻撃。ボットネットは多数のコンピューターウイルス感染パソコンで構成するネットワークである。

利用者は料金を支払って、攻撃対象を指定するだけで攻撃対象をサービス停止に追い込むことができる。

論文では、Ｚｅｕｓ（ゼウス）というウイルスを使ったサービスも例として挙げている。Ｚｅｕｓはオンラインバンキングの資格情報などを盗むトロイの木馬型ウイルス。２００７年に登場し、当初は数千ドルで販売されていた。

ところが２０１１年にＺｅｕｓのソースコードが流出し、ウイルス単体の価値が失われた。そこで出現したのが、利用者が指定した標的にＺｅｕｓを感染させるサービスだ。利用者が盗みたい情報に合わせてＺｅｕｓをカスタマイズした上で標的に感染させる。

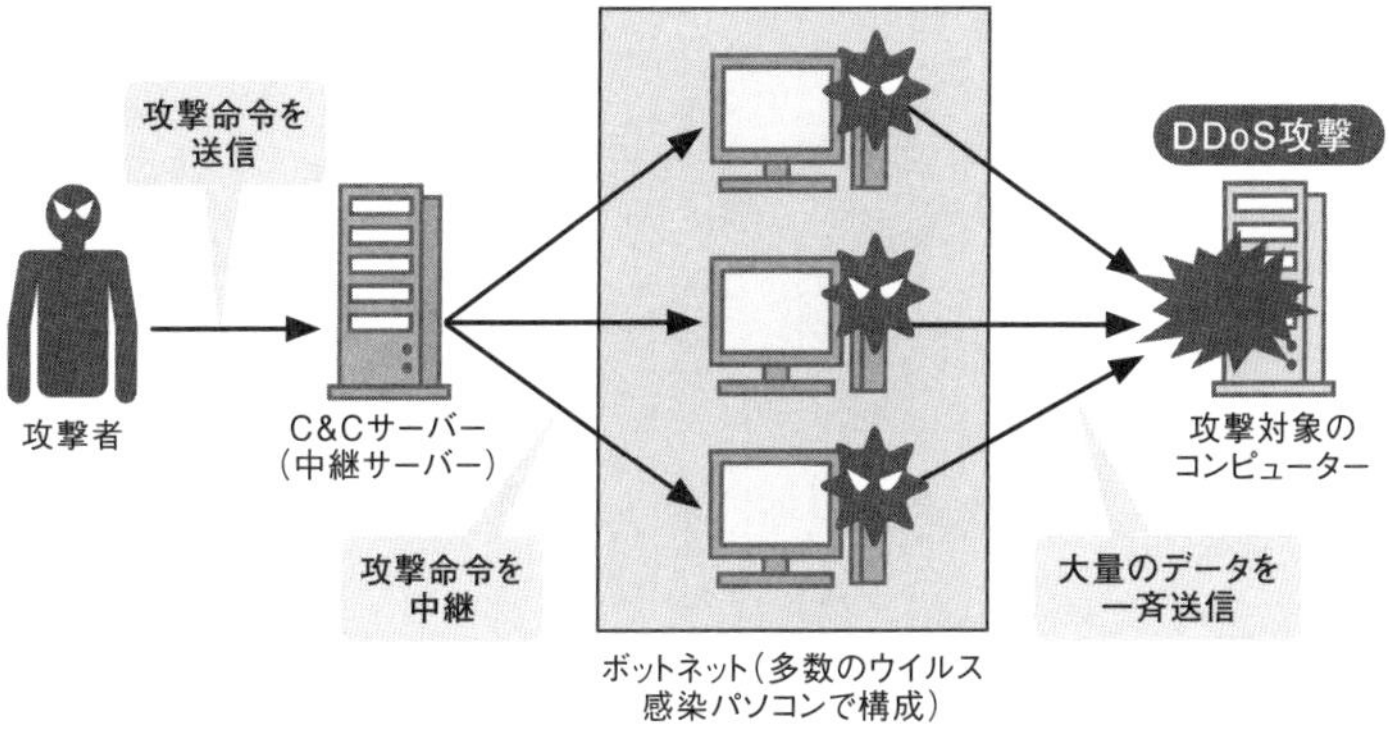

ボットネットを使ったDDoS攻撃
攻撃者はボットネットを使って大量のデータを攻撃対象のコンピューターに送信し利用不能に追い込む。このDDoS攻撃を提供するのがブーターやストレッサーと呼ばれるサービスである。

このサービスの登場により、Ｚｅｕｓを悪用する人の裾野は一気に広がった。
そのほか、違法な情報を売買するアンダーグラウンドフォーラムあるいはマーケットプレイスもサイバー犯罪をサポートするサービス（インフラストラクチャー）として挙げている。

エコシステムを回す歯車に

以上のようにサービス産業と化したサイバー犯罪の世界で身を立てようとすると、一握りの突出した人間を除けば、ほとんどの人がサイバー犯罪のエコシステムを回す歯車にされる。

例えば大手のブーターでは、攻撃を仕掛けるために数十台のサーバーを稼働させるという。担当者はそれらすべてのサーバーをレンタルして適切に構成し、安定して運用する必要がある。ブーターの成功の鍵は安定性と信頼性であり、「基盤となるテクノロジーが何であれ、ブーターの運用にはかなりのメンテナンスと管理作業が必要」と論文の筆者は指摘している。

ユーザーに対するサポートも重要だ。不慣れなユーザーには、利用方法や支払いについてチャットなどで説明する必要がある。ブーターにも多数のサービスがあり過当競争になっているので、抜かりがあるとすぐに顧客が離れてしまう。

論文中でブーターのある担当者は「作業自体は単純でかなりのお金を稼げる」とインタビューに答えている。

だが別の元担当者は次のように答えている。

「1年間続けた結果、私はすべてのモチベーションを失い、辞めることにした。作業は簡単だったが、全くもって挑戦的ではなかった」

論文の筆者は、この手の作業でありがちな燃え尽き症候群だと指摘している。

作業が単純なだけではない。収益性にも疑問がある。ブーターの担当者は「稼げる」と言っていたがサービスによるようだ。

別のサービスであるアンダーグラウンドフォーラムでは、投稿などを人間が一つひとつチェックする必要があるので管理に多大な人手がかかる。このため個々のサイバー犯罪者に支払われる金銭はそれほど多くない。中には月額20ドル程度で働いている人もいるという。

そもそもサイバー犯罪は反社会的行為であり、許されることではない。それにもかかわらずその道に進みたいという人には、今回紹介した論文を読むよう勧めてほしい。その動機が「ハッカー」への憧れなら、まず諦めるだろう。

9-3

極悪なのに「ファンシーベア」五輪狙うサイバー集団がかわいすぎる理由

米マイクロソフトは2019年10月末、16カ国の世界反ドーピング機関（WADA）やスポーツ組織を標的とするサイバー攻撃を確認したとして注意を呼びかけた。これらの攻撃は東京オリンピック・パラリンピックを見据えたものである可能性が高いという。

攻撃を仕掛けたのは、極悪のサイバー攻撃者集団「ファンシーベア」。ファンシーベアは2008年から活動を開始。世界中の様々な企業・組織を標的にサイバー攻撃や不正侵入を繰り返している。2016年には米大統領選挙中の民主党全国委員会のサーバーに不正侵入したことで知られる。

ファンシーベアを直訳すると「おしゃれな熊」といったところだろうか。なぜこんなにかわいらしい名前なのだろうか。

呼び名はたくさんある

コンピューターウイルスやサイバー攻撃者集団の呼び名は、セキュリティーベンダーや組織によって異なることが多い。ファンシーベアも同様だ。

例えば、マイクロソフトは「ストロンチウム」、米ファイア・アイは「APT28」あるいは「ツァーリチーム」、トレンドマイクロは「ポーンストーム」、ロシアのカスペルスキーは「ソファシー」、スロバキアのイーセットは「セドニット」と呼ぶ。

これだけ呼び名があるものの、ほとんどのメディアはファンシーベアを使っている。前述のマイクロソフトの注意喚起を報じる記事の多くも、マイクロソフトが「ストロンチウム」と書いているにもかかわらず「ファンシーベア」としている。

ロシアなので「熊」

ファンシーベアは米クラウドストライクによる命名だ。同社の命名ルールによって、このような名前になったという。

同社では、サイバー攻撃者集団を2つの単語の組み合わせで表す。2番目の単語には、サイバー攻撃者集団の本拠地や出身地、関与が疑われる国・地域を表す動物の名前を付ける。例えば、ロシアなら熊（ベア）、中国ならパンダ、インドなら虎（タイガー）、ベトナムならバファローにすると定めている。

ちなみに国・地域との関連が薄い活動家組織にはジャッカル、犯罪者組織にはクモ（スパイダー）を付与する。

クラウドストライクに限らずほとんどのセキュリティーベンダーは、ファンシーベアの拠点はロシアにあり、ロシア政府の関与が疑われると指摘している。このため２番目の単語には「ベア」を付けている。

１番目の単語は、サイバー攻撃者集団の発見者が命名する。米メディア「エスクァイア」の２０１６年10月24日付の記事で、クラウドストライクは１番目の単語が「ファンシー」になった理由を説明している。

ファンシーベアは「ソファシー」と名付けられたウイルスを攻撃に使用する。前述のようにカスペルスキーなどがソファシーと呼ぶのはこのためだと考えられる。

だがクラウドストライクの発見者はひとひねりする。ソファシーという単語から、オーストラリアのミュージシャンであるイギー・アゼリアの「Fancy」という曲を想起したという。

以上により、ファンシーベアと命名された。

数ある呼び名の中からファンシーベアが使われているのは、分かりやすいためだろう。読み方が分からない単語や数字の組み合わせよりも、一般的な単語の組み合わせのほうが訴求しやすいし、覚えやすい。

繰り返される報道によりファンシーベアの知名度も高まっている。偽物が現れるほどだ。

偽物が現れるほどに悪名高い

２０１９年10月24日、ドイツのセキュリティーベンダーＬＩＮＫ11は、ファンシーベアをかたる脅迫メールが出回っているとして注意を呼びかけた。

メールの内容は、ＤＤｏＳ攻撃を示唆して暗号資産を要求するというもの。２ビットコインを期日までに支払わないと、大量のデータを送信してサービスを提供できなくすると脅かす。

脅迫メールの件名は「DDoS attack（ＤＤｏＳ攻撃）」。本文は「私たちはファンシーベアです。次のＤＤｏＳ攻撃のターゲットとしてＸＸＸ（送信先の企業名）を選びました。『ファンシーベア』で検索して、私たちの以前の仕事をご覧ください」という文章で始まっている。

前述のようにニュース記事の多くはファンシーベアと書いているので、メールの受信者が検索をかけると過去の悪行に関する記事が多数表示される。メールの受信者は慌てるだろう。

だが実際には偽物のようだ。ＬＩＮＫ11は「ファンシーベアとはほとんど共通点はない」と関連を否定している。確かに、ファンシーベアはロシア政府の関与が疑われる国際的な攻撃者集団。このような細かい仕事をしているとは思えない。

なお国内のセキュリティー組織であるＪＰＣＥＲＴ／ＣＣも、同様の脅迫メールが国内の組織に送られていることを確認しているという。

このような脅迫メールを受け取ったら要求には応じず、冷静に対応するようＪＰＣＥＲＴ／ＣＣは呼びかけている。そして実際にＤＤｏＳ攻撃が仕掛けられることを想定し、攻撃が発生した場合の対応体制を確認するよう勧めている。

おわりに

本書で解説したように、サイバー攻撃やネット詐欺の新たな手口が次々と出現していま す。その一方で、変わらない手口も数多くあります。

例えば、フィッシング詐欺は10年以上前から被害を及ぼし続けています。「偽メールで偽サイトに誘導して個人情報を盗む」という基本的な手口は変わっていないにもかかわらず、被害が後を絶ちません。筆者がフィッシング詐欺の記事を初めて書いたのは2004年3月です。以降、「気をつけてください」「注意が必要です」などと書き続けています。Ｗｏｒｄ文書を使ったマクロウイルスに至っては、20年以上前に出現して、今でも攻撃者にとっての有用なツールになっています。

被害に遭うのは、フィッシング詐欺やマクロウイルスの存在を知らないためだと考えられます。知っていれば、メール中のURLを安易にクリックしたり、メールで送られてきたＷｏｒｄ文書のマクロを有効にしたりすることはないでしょう。

ただ、現在ではほとんどすべての人がパソコンやスマートフォンを扱い、被害に遭う可能性があるにもかかわらず、セキュリティーに関する話はあまり興味を持ってもらえません。

知っていても得しないし、多くの人にとって面白くないためだと思います。技術的な話が多くて難しいというのもあるでしょう。

「セキュリティーに興味のない人にどのようにしてリーチするか」というのが、筆者にとっての永遠の課題になっています。

解決策の1つになり得るとして実践しているのが、できるだけ平易に、そして身近な問題だと分かってもらえるようにセキュリティーの記事を書くことです。本書はその一環です。

とはいえ、興味のない人は、そもそもセキュリティーに関する記事を読もうとはしないし、本書などを手に取ることもないという現実があります。そこで、本書を読んでくださった方にお願いです。

本書にある内容を、ぜひ雑談のネタにしていただければと思います。「そういえば、こんな話があったらしい。気をつけたほうがいいよ」と言ってもらうだけで、相手のセキュリティー意識が高まり、被害に遭うリスクを軽減できると思います。

一般の犯罪と同じように、サイバー攻撃やネット詐欺がこの世からなくなることを絶対にありません。ただ、それぞれのユーザーが正しい知識で武装すれば、被害を最小限に抑えられると信じています。本書がその一助になることを切に願っています。

勝村 幸博（かつむら ゆきひろ）

日経 NETWORK 編集長

1997年日経BP入社。主にセキュリティーやインターネット技術に関する記事を執筆。ITpro（現日経クロステック）、日経パソコン、日経コンピュータなどを経て、日経NETWORK編集長。日経クロステックで「勝村幸博の『今日も誰かが狙われる』」を連載中。著書に「コンピュータウイルス脅威のメカニズム」や「情報 最新トピック集」（共著）などがある（いずれも日経BP）。情報セキュリティアドミニストレータ、情報処理安全確保支援士、博士（工学）。

すぐそこにある
サイバーセキュリティーの罠
テレワーク、スマホ、メールを狙う最新トラブルとその裏側

2021年4月19日　第1版第1刷発行

著者	勝村 幸博
発行者	吉田 琢也
発行	日経BP
発売	日経BPマーケティング
	〒105-8308　東京都港区虎ノ門4-3-12
装丁	松川 直也（日経BPコンサルティング）
制作	日経BPコンサルティング
編集	中村 建助
印刷・製本	図書印刷

ISBN978-4-296-10936-4　Printed in Japan